Liberal arts of

シリコンバレーの一流投資家が教える

世界標準の

Technology

テクノロジー教養

山本康正
Yasumasa Yamamoto

シリコンバレーの一流投資家が教える

世界標準のテクノロジー教養

山本康正

幻冬舎

装丁　ソウルデザイン
図版制作　美創（小山宏之）
編集協力　森川滋之

シリコンバレーの一流投資家が教える
世界標準のテクノロジー教養

目次

第三章 リテールテック 体験としての売買

第四章

フィンテック　データが創る新しい経済

第五章

ロボティクス　人と機械の共生

第六章

DX デジタル化の本質

第七章

DXの成功例　世界で戦う日本企業

第八章

スタートアップ　最新テクノロジーを取り入れる

はじめに

日本はもはや技術後進国だ。最近こんな言葉が多数のメディアから発信されています。

確かに世界の最先端を走っていた数十年前に比べて、日本の影響力が衰えていることは間違いありません。ＡＩ、クラウド、５Ｇに限らず、世界中でテクノロジーが振興と衰退を繰り返す中、トレンドから後れを取ってしまいました。外国ではすでに最先端の技術としては世間から忘れられつつある分野が、数年後にようやく国内に入ってくる。少し前までは考えられないようなことでしたが、実際に起こっていることです。この危機に警鐘を鳴らすのは必要な行動でしょう。

しかし、警鐘がそれだけで終わってしまうのはもったいないことです。不安を煽っておきながら、その解決策は提示されない。問題提起だけをすることは哲学という学問がありますが、実務としては机上の空論なのです。今のこの国で実に多い事例です。その一方では、この不安を少しでも和らげたいかのように、日本をひたすらに賛美するだけの声も聞こえてきます。これでは、私たちはどのようにして問題に立ち向かえばいいのでしょうか。

私の仕事を簡単に説明すれば、優れたベンチャー企業に投資をして育てることです。「ベンチャー企業」というのは、世の中に変革をもたらす可能性に満ち溢れていますが、その可能性が本物かどうかを見極める必要があります。拠点はシリコンバレーですが、世界中の最先端の技術に触れ、実際に体験もしてきました。大げさに言いますが、テクノロジーの交差点から、世界の未来を見据えてきたつもりです。

実は最近になって日本が危機感を持ち始めたことには理由があります。二〇二〇年初頭から世界的な流行を見せた新型コロナウイルスです。各企業はこの猛威に立ち向かうために、急速な進化を求められました。結果、コロナウイルスは全世界におけるテクノロジーの進歩を初めの二カ月で二年早めたといわれています。一方で、外注に頼り切りで社内にエンジニアを抱えていなかった企業は一気に二年の差がついてしまったとも見ることができるでしょう。こうして後れを取った企業が多かったばかりに、日本の弱点が露わになってしまいました。

しかし同時にこれはチャンスです。百年に一度ともいわれる世界的感染症は、日本企業に根強い文化であるといわれてきたハンコを廃止させようとする動きや分散型台帳技術の浸透など、数々の革新をもたらしています。おかしな部分、古い部分が淘汰されてきたのです。

DXという言葉の流行もその一つでしょう。今やらないでいつやるのでしょうか。これからも世界は変わっていきますが、この百年に一度のチャンスを、まずは今後二十年を見据えて活かしていただきたいのです。

本書はそんな思いから執筆に至りました。第一章では今現在の世界で何が起きているのかということを私が説明し、第二章以降ではより深い知識を身につけていただきたいという狙いから、各分野で活躍をするスペシャリストを招いてその知見を紹介しています。

私の職業は記者ではありません。しかし、世界で使用される数々のテクノロジーと日本の現状を知っていただくためにも、より専門的な知識を有する彼らから力を借りました。特にこれからの世界で私たちはどのような行動を取ればいいのか、取るべきなのか。このことを本書から学び取っていただきたいのです。

日本はまだ間に合います。ただ残された時間は少ないです。どうかこの書籍が読者の未来を切り開く一冊となることを切に望んでいます。

第　一　章

DXの浸透と黒船の襲来

コロナウイルスとデジタルテクノロジー

現代がデジタル時代であることに疑問を持つ人はいないでしょう。あらゆる企業にＩＴの知識が求められ、ＩＴ企業と呼ばれる企業とその他の企業の間に、もはや垣根はありません。こうした背景もあって日本でもＤＸ（デジタルトランスフォーメーション）が、ようやく進み始めました。

日本の経済産業省は、この言葉を次のように定義しています。

企業がビジネス環境の激しい変化に対応し、データとデジタル技術を活用して、顧客や社会のニーズを基に、製品やサービス、ビジネスモデルを変革するとともに、業務そのものや、組織、プロセス、企業文化・風土を変革し、競争上の優位性を確立すること（「デジタルトランスフォーメーションを推進するためのガイドライン　Ver. 1.0」平成三十年十二月）

ＤＸがかつてないほど日本企業に必要とされていて、経営陣に示唆があることと同時に対応できる人材を育てることは私たちにとって急務です。また自分の市場価値を高めたいと考える人たちにとっては、どうしたらこの取り組みを担う人材になれるのかは非常に関心の高いテーマだと思います。

日本でDXの概念が急速に普及したのは新型コロナの影響でした。ビジネスを水泳にたとえると、より遠くまで速く泳ぐことが成功だといえます。そして、最先端のデジタル技術とは酸素ボンベ、コロナウイルスはそれを阻む障害です。目の前に突然コロナウイルスという水面すれすれの壁が現れました。酸素ボンベを持っていれば、深く潜って通り抜けることができますが、酸素ボンベを持っていない人はそこで止まることしかできません。

日本だけでなくアメリカでも多くのスーパーが、酸素ボンベを持っていなかったので息も絶え絶えになっていました。しかし小売の老舗であるウォルマート[※1]は十五年以上前から最新のデジタル技術を取り込み続けていたので逆に売り上げが伸びました。それを多くの会社が見ていたものだから、いやが応でもDXを加速せざるを得ない、となったわけです。

本来なら二年ぐらいかけて起きることが、一気に進みました。数年前からネット通販などが少しずつ増えていましたが、それがコロナ禍で急加速したのです。

今後一年以内にコロナがどこまで収束するかにもよりますが、ビジネスは、ますますデジタル中心になることでしょう。今までは、リアルが主でデジタルが補完していたのが逆になります。デジタルが主でリアルが補完するのです。

今でもすでに、リアル店舗で実物をチェックしてからネット通販で買う人がたくさんいます。デジタル店舗が主で、リアル店舗は実物をチェックする場所に過ぎません。このようなことが今後、もっとあたりまえになっていきます。もちろんリアル店舗は主であり続けようとしますが、結局は消費者が望む方向に否応なしに進んでいくしかないのです。

なぜアメリカで進む取り組みが、日本では進まないのか

DXには、企業から見て内側と外側があります。内側がこれまでのIT化の延長線上である働き方改革です。リモートオフィスが実現されていて、社員一人に専用のノートパソコンやスマートフォン（以下、スマホ）があって、どこでも仕事ができる。ペーパーレスで、わざわざハンコを押すためだけに出社することを求められない。

外側がビジネスです。たとえばどうやって顧客から金を集めるか。たとえば売り切り方のビジネスからサブスクリプション[※2]（定額課金）に代わってきています。アマゾン（アマゾンプライム）やアップル（アップルワン）もサブスクリプションに切り替えています。そうした変化が今起きているわけです。シリコンバレーの先頭を走る彼らは常に新しいデジタル技術を活用しているので、DXという言葉は使いません。DXというのは遅れた企業が使う言葉なのです。

建築物にたとえると、お寺の改修（内）と賽銭を時代に合わせた非接触のQRコードなどで貰う（外）と変えていくことに似ているかもしれません。歴史的な建築物を壊さずに拡張するほうが、更

地に最新の素材の建築を作るより難しいのです。

アメリカのほうが日本よりも全般的にデジタル化が進んでいるのは、国土が広いからという面もあります。わざわざ通勤せず、リモートで仕事ができるならそれに越したことはないという企業が多いため、内側は以前からとても進んでいました。

グーグルなどは、ニューヨークやシリコンバレーなど様々な場所にオフィスがあり、しかも距離が遠い。それらが連携しながら仕事を進めないといけないので、ビデオ会議などはあたりまえでした。チャットで仕事を進めることやカレンダーの共有も必要不可欠なことです。ドキュメントやスプレッドシートをリモートで共同制作したいというニーズもありました。だからすべて自社開発してしまったのです。

外側のほうも、クルマを三十分以上運転しないとショッピングセンターに行けないという環境なので、ネット購入のほうがずっと楽です。新聞は、アメリカでは配達にコストがかかりすぎるのでとっくに廃れています。ニューヨーク・タイムズなどがいち早くデジタル化した結果、オンラインの収入が紙からの収入を上回りました。IT企業に限らず普通の大企業も早くからデジタル化に取り組んでいたのです。

デジタル化に取り組めた背景にあるのは、ITエンジニアの分布です。大手コンサルティング企業のマッキンゼーによるレポート「マッキンゼー緊急提言」[※3]によると海外の企業が日本とまったく違うのは、社内にＩＴエンジニアを抱えていることです。約七割のデジタル化を社内で担当し、残りの約三割がアウトソーシングだといわれています。[※4]アウトソーシング先は、インドなど海外です。

日本は逆で、ＩＴエンジニアのほとんどを社外に頼っているので、なかなかＤＸが進みません。ここまでＩＴを外注している国は日本ぐらいでしょう。

黒船が強奪する日本の利益

日本のデジタル化がこのまま遅れれば、外資企業が成功パターンとともに押し寄せてきます。まさに黒船の来襲です。彼らはシンガポールやマレーシアなどアジアの別の地域でノウハウや成功パターンをため込んでから日本にやってきます。維新でも起こさない限り、日本企業の勝ち目は薄いといえます。

ウェブサイトやスマホアプリの使い勝手が相当きめ細かになった時点で日本にやってきますので、ユーザーを総取りされてしまいます。これは音楽配信や動画ストリーミングですでに起こっていることですね。日本人がＪポップを聴いているのに、土台は彼らが提供しているので、利益の大半をSpotifyやアップルが持っていってしまいます。

スマホのＯＳも同じです。アップルとグーグルが作ったプラットフォームでシェアはほぼ一〇〇％

です。そのプラットフォームにアプリを登録すれば、決済の約三割（一部は一五％）が場所代として持っていかれます。日本企業がどれだけ良いアプリを作っても、利益はどんどんアメリカ企業に吸い取られるという状態が続くわけです。

前近代の小作農がいくら働いても、ほとんどを地主に取られてしまうことと似ています。あるいは、オセロの角を取られているような状態といってもよく、どうやっても逆転ができません。どうしてここを押さえていなかったのかと後から後悔することしかできないのです。政府の検討委員会が始まっても時すでに遅しなので、いったい誰が悪かったんだと犯人捜しになってしまいます。

ですが現実世界は真四角ではありませんし、単純な平面でもありません。まだまだ取られていないオセロの角は残っています。たとえば、動画配信はまだ決着していません。Abema[※5]などもがんばっています。しかしこのままでは残る角も、いずれはネットフリックスに取られてしまいます。

また勝負自体も別の盤面へ移っていきます。デバイスについては、スマホは手遅れですが、こちらは次の盤面に移る可能性が高いのです。デバイスはだいたい二十年周期で主流が移り変わってきた経緯があります。スマホの次のデバイスは何なのか、これはまだ誰にもわかりません。その二十年を見据えて、次の盤面における「角」を取りにいくことが極めて重要です。

5G、クラウド、AI。デジタル時代における三本の柱

重要なのはデータです。「データは二十一世紀の石油である」といわれます。あえて日本語的にいうと、データがあれば「おもてなし」ができます。たとえばネットで広告を表示するにしても、ターゲットがチョコレート好きかどうかをわかっているだけでクリック率が大きく変わるでしょう。この人はコンビニでチョコレートを買ったという情報があれば、マシュマロよりもチョコレートの広告を多く出します。情報がなければ、マシュマロとチョコの広告を同じぐらい出して、機会損失になってしまいます。

こうした積み重ねで、広告による売り上げが一〇％上がれば、たとえば二百億円の売上高の企業で二十億円売り上げが伸びることになります。つまり顧客が何を好きか知っている企業の勝ちなのです。GAFA[※6]などがどれだけ有利かはいうまでもないでしょう。

大量のデータから好みを分析し、それに基づいて「おもてなし」をしてくれるので、顧客は他社に行きたくなくなります。快適なサービスにはまればはまるほど囲い込まれてしまう。さらにサブスクリプションで加入をしやすくするというパターンです。

顧客の好みを探るといったデータ解析については、AIとクラウドが重要な役割を果たしています。

AIについては、一九五〇年代に最初のブームがあり、今はディープラーニングの実用化で三回目の波が来ているといわれています。

ディープラーニングで様々なことが可能になりました。「グーグルの猫」[※7]という画像認識の分野では画期的な出来事がありました。様々な画像から猫の画像をAIが見分けただけなのですが、しかしそれまでは人間にしかできないと思われていたことでした。それがユーチューブの画像を一週間AIに見続けさせたら実現したということで、一気にAIへの期待が高まったのです。さらにアルファ碁[※8]が囲碁の世界チャンピオンに勝利したことで、期待は確信になりました。

ただディープラーニングには、膨大なコンピュータリソースが必要になります。大量のデータを格納できる記憶装置はもちろん、膨大な計算負荷に耐えるコンピュータも必要です。一台のPCでは不可能ですが、何万台ものPCサーバーが並んでいるクラウドでなら可能です。ディープラーニングにはクラウドが不可欠なのです。

データ活用をさらに加速させるのが5Gです。現在の4Gと比較して速度が約十倍、データ遅延は約十分の一、そして同じ面積での同時接続台数が約十倍になります。データの流通量が圧倒的に増えますから、蓄積されるデータも加速度的に増えていきます。

そうなると、従来は十年かかっていたような変化が、一年ぐらいで起こってもおかしくないわけです。これまではこのプロジェクトを実施するのに必要なデータを集めるのに十年かかっていたはずが一年でできる——そんな世界が目の前に広がっているのです。

三本の柱を理解しなければ、この先のビジネスは語れないでしょう。

世界に目を背けてきたツケ

三本の柱すべてで日本は後れを取ってしまいました。特にＡＩ分野が致命的に弱い。たとえば日本のトップ層の教育機関にはプログラミングを活用する統計学部が近年までありませんでした。ＡＩを活用してデータ解析する人材を育成する専門機関がないのです。

さらに日本でありがちなことに、「人工知能というのだからコンピュータだろう。だったらＩＴ企業に任せればいい」と考えている人が多い。しかしＩＴ企業はプログラミングができても、データから知見を引き出すことについては素人です。ＡＩを扱うにはプログラミングと統計の両方を知らないといけないのですが、そういう人材が日本にはほとんどいません。だから専門の会社もほとんどない。

その貴重な人材が、シリコンバレーに行けば、新卒でも年収二千万円ぐらいで雇ってもらえます。しかし日本のＩＴ企業だと新卒ならせいぜい年収五百万円程度です。二千万円なんて役員にでもならないと貰えない額です。そうなると能力の高い人は、日本企業ではなく外資系企業に行くのが普通でしょう（最近多少変化が見られています）。

時価総額がすべてではありませんが、時価総額とは「未来の利益を合計したもの」です。未来を買うのが投資家ですから、投資家としては時価総額を最重要視するのが当然です。GAFA[※9]やマイクロソフトが百兆円を超える時価総額なのに、日本はトヨタの二十三兆円ぐらいが最高です。これがテスラ[※10]に抜かれました。テスラの自動車販売台数はトヨタの三十分の一に過ぎません。ある意味異常事態です。しかし、そういうことが起きてようやく、これはまずいと日本企業も目が覚めるわけです。

こういう動きは二〇一〇年くらいから出てきていました。日本の中にいる人たちは、日本の情報しか見ていないので気づいていなかっただけです。「日経新聞」を読めば全部わかるというのはあり得ません。「フィナンシャル・タイムズ」や「ウォール・ストリート・ジャーナル」などを読んで、国内外のことを両方知る努力をするべきなのです。

オリンピック一回分の遅れ

アメリカで最近目に見えて変わってきたことといえば、無人コンビニのアマゾンGO[※11]です。彼らも顧客の行動履歴を取っています。「あのお客さん、バナナを持っていった。価格は八十円だ」と計算できる精度でずっと撮影しているわけですから、意味のあるデータが膨大に蓄積されています。日本のベンチャーも同様の実験をしていますが、あまりにも精度が違いすぎる。ですから、現時点でアマゾンGOが日本に進出してきたらおそらく負けてしまうでしょう。

変わったところでは、二〇二〇年八月に日本で営業を開始したb8ta[※12]（ベータ）でしょうか。物理的な店舗を区画で区切って、メーカーから月額固定で出店料金を貰って商品を売るサービスです。RaaS[※13]（Retail as a Service）という、サブスクリプションモデルで販売をサービスとして提供しているわけです。販売だけでなく、在庫管理や物流サポートもしてくれて、マーケティングに必要なデータも提供してくれます。

メーカー側は、売れなくてもマーケティングデータが取れるだけでもいいのです。そこでb8ta側も、天井にカメラをつけてどのお客さんがどの商品の目の前に立つか測定し、五秒以上そこにいたら十円、手に取ったら二十円といったショールームの課金モデルも始めました。

これが成功するかはまだわかりませんが、こうした新しい発想を試すことにかけては、アメリカは日本の何十倍も速い。b8taのRaaSというビジネスモデルはアメリカでは五年前からあったのですが、日本にはようやく入ってきました。

オリンピック一回分ぐらい常に日本は遅れているという意識を、日本人は持つべきなのです。

テクノロジーを知らずに経営する怖さ

Uber[※14]やZoomも日本で初期の頃はなかなか普及しませんでした。既存の業界を守ろうという意識がいまだに日本では強いのです。Uberは日本では、一般のドライバーによるシェアライドではありません。タクシー会社と連携しているわけで、Uberの本来のビジネスモデルとは大違いです。このようなこと一つを取ってみても、東京にいれば何でもわかるというのは大間違いだと感じます。

Zoomも二〇一六年ぐらいからアメリカではスタンダードになっていました。スマホでビデオ会議ができるわけですから便利というしかありません。特にIT企業の人たちの間では大人気でした。スマホからもPCからも入れるし、アカウントの登録も必要ありません。画期的な使いやすさです。

それが日本では、ビデオ会議システムはきっと料金が高いもののほうが安全だからいいという発想でやっていたわけです。それでは良いサービスの芽が出ません。Zoomの時価総額は二〇二〇年九月二日に約十三兆七千億円となり、IBM[※15]を抜きました。

日本で新しいデジタル・ビジネスモデルが出てこない、出てきても根づかない原因としては、日本にはテクノロジーがわかる役員が少ないことが挙げられます。CIO[※16]（Chief Information Officer）やCDO[※17]（Chief Digital Officer）がいない会社がいくらでもあります。そしてCIOがいても形だけでデジタルがわからないということも多い。

アメリカのデジタル企業では、CEOの多くがデジタル技術者やIT技術者であるのとは好対照です。やはり会社の中枢にデジタルや最先端のテクノロジーに精通している人がいて、その人たちが会社の方向性を決めるところでもっと口を出さないといけません。昔は人事、企画部が出世の王道でしたが現代ではデジタル部門がそれに代わりつつあります。

世界がミサイルで戦っている時代に日本だけ竹槍で戦っているようなものです。若い世代にデジタルに精通している人がいても、社長が六十代、七十代で、最先端のデジタルや新技術を体験した経験が少ないため話が通じません。「へえ、そうなんだ」でおしまいです。それでどれだけ損をしているのかにまったく気づかない――そのような構造に日本企業がなってしまっているのが、日本のデジタル化がなかなか進展しない原因だと思います。

体験こそが必要

最新テクノロジーを根づかせるために、最も大切なことは実際に使ってみることです。たとえば、テスラのクルマなど使ってみて初めてその良さがわかります。普通の自動車メーカーのクルマに戻れないという人がたくさんいるほどです。スマホからガラケーに戻る人がほぼいないことに似ています。

乗ったことがない人は、走行性能や安全性、操作性などでやはり自動車メーカーのクルマのほうが一日の長があるだろうと思っているでしょう。しかし実際に乗ってみたら、それは勘違いだとわかります。それどころか、クルマの価値というのは、実は自動車メーカーが強調していないところにあるのだという気づきがあります。たとえばテスラはスマホと連動して朝のスケジュールを管理してくれますが、これは運転の性能だけを見ていては出てこない発想です。そういう気づきが大切で、本を読んで勉強することも必要ですが、体験して気づくことが、もっともっと重要なのです。

そもそもアマゾンがストリーミング配信を始めたり、アップルが金融業に乗り出したりするというように、同業他社にばかり気をつけていたら、まったく違う業界から流れ弾が飛んでくる時代です。ゲームチェンジャーほど恐ろしいものはありません。日本には官民を挙げてガラケーのすごく良いものを作っても、結局iPhoneに駆逐されてしまったという苦い経験があります。軸が変わっても、それに気づかない危険があるのです。特に政府主導でテクノロジーを進めていくのは危険です。政府は昔の延長線上でしか認可を出しません。そうするとメーカー側は色々とわかっていたとしても、予算が出ないからできないということになりがちです。

同じことがハイパーループについてもいえます。減圧したチューブの中に乗り物を通すことで時速一二〇〇キロも出すことができる優れた交通手段です。リニアモーターの倍の速度に匹敵しますが、日本はリニア敷設に予算を使っていますから、ハイパーループのほうが速いとわかっても、そちらに舵を切れません。

このような時代なのですから、様々な業界にアンテナを立てて、いつ新しい競合が現れても慌てないようにすることが、今の経営者に求められるのです。そのためにもデータや情報をもっと大切に思わなければなりませんし、それらをもたらしてくれるテクノロジーをもっと取り入れなければならないのです。

「本業」という呪い

日本企業は、「本業」だけやっていればいいという意識がいまだに根強い。しかし以前から何度も申し上げているのですが、いつまでも本業が同じということはもはやあり得ません。本業が一つということは、それで負けたら終わりということ。今の時代にはリスキーでしかないのです。

馬車から自動車に移行した時代には、まだまだ馬車でいけると思っていた人はたくさんいました。ところが十年ぐらいで交通手段としての馬車は駆逐され、今では趣味として乗るものになっています。

ものづくりにこだわる人、誰よりもいいものを作りたいと考える人を私はすばらしいと思います。しかし日本のメーカーにとって、良いものを安く売るというビジネスモデルはもはや崩壊しています。中国や台湾がもっと安く、しかも品質の悪くないものを作ってしまうので、それに固執しても取り残されるだけです。

それどころか中国や台湾のメーカーは、スマホアプリで製品に付加価値をつけるということにもとっくに取り組んでいます。日本のメーカーは安さでも品質でも付加価値でも負け始めているのです。世界の中で日本の影響力は年々落ちてきています。どういう指標で測るかにもよりますが、テクノロジー・ビジネスのレベルは世界で見ても二十位以下になりつつあります。先進国に加えてもらえても、最先進国とはいいがたいレベルです。

これには大学のランキングも関係していると思います。二〇二〇年の世界大学ランキングでは、東大が三十六位、京大が六十五位でした。あとは二百五十位以下です。慶應・早稲田といった私学のトップレベルでも六百位以下です。日本の大学はほとんど上位に入っていません。

アジア大学ランキングでも、東大がなんとか七位でベスト一〇入り。京大が十二位です。それ以外のベスト二〇は、香港を含む中国とシンガポール、韓国で占められています。日本人にとっては、アジアランキングのほうがショックかもしれませんね。

現在、東大や京大の出身者がノーベル賞を受賞できているのは、過去の栄光の名残です。十年も経たないうちに清華大学やシンガポール国立大学、ソウル大学校といった大学の出身者がノーベル賞を次々と受賞する姿を、日本人は羨望とともに指をくわえて見ていることになるかもしれません。少なくともこのまま何も改革しなければ。

大学がテクノロジーの最先端を担っているのだから、日本がテクノロジーでアメリカやヨーロッパはもちろん、中国、シンガポール、韓国などに比べて見劣りし始めているのは仕方のないことだという気がします。

日本の大学は、研究をビジネスに応用するというところがどうも弱いのです。大学で商売に使う研究をするのはけしからん、邪道だと考える先生もいらっしゃるぐらいです。

その点アメリカは昔から産学が連携しています。たとえばシリコンバレーでは、ヒューレット・パッカード[※18]の創業者であるビル・ヒューレットとデビッド・パッカードは、スタンフォード大学の恩師であるフレデリック・ターマン教授の支援を受けて起業を決意しました。

結果二人は成功し、スタンフォード大学はヒューレット・パッカードの寄付金でさらに発展することとなります。その後時代が進んで、ラリー・ペイジとセルゲイ・ブリンが検索に関する論文をスタンフォードで書いていたら、面白い連中がいるとまた大学が出資するわけです。グーグルが成功したことで、その出資がまた大学に返ってくる――このような積み重ねが今のスタンフォードの地位につながっているのです。

ボストンでいえばハーバード大学のキャンパスの隣に、ファイザー[※19]の研究所があります。教授がスリッパ履きで行き来できる距離に研究所が存在するのです。こうした環境があるのですから、交流が進まないはずがありません。

日本ではそのようなことをしようとすれば、すぐに大学と企業の癒着だと非難されます。癒着が起こる可能性もありますが、そこはしっかりウォッチしていけば本来なら良い関係を築けるはずなのです。しかし日本の現状ではこれが難しい。日本の大学が弱体化の一途をたどる原因かもしれません。

日本企業の本質的な弱さ

これから面白いなと思うテクノロジーの一つに、量子コンピュータが挙げられます。計算の仕方が劇的に変わるので、この分野のチェンジャーといえるでしょう。たとえると白黒テレビがカラーテレビになるようなもので、性能が格段に違います。データ数が増えると指数関数的に組み合わせが増えるため、計算処理が圧倒的に速くなるといわれています。

日本がスーパーコンピュータで世界一に返り咲きましたが、量子コンピュータとは計算の仕方がまったく違うわけで、スパコンに力を入れていて大丈夫ですかという疑問が湧いてきます。

量子コンピュータについてはIBMも力を入れているようですし、カナダのD-Wave[※20]も有名ですが、箱だけ作ってもしかたないのがコンピュータの世界です。その意味では大量のデータを持っているグーグルが有利だと私は考えています。

たとえばグーグルマップのデータと組み合わせてセールスマン巡回問題[※21]のような問題に適応する。そうすると効率的なルート営業につながります。こうした応用力ではグーグルが抜きん出ています。

このような使えるアプリケーションがあれば、多くのユーザーがつき、収益化も早い。要するに今、量子コンピュータで最も儲かる可能性が高いのがグーグルということです。

日本企業の弱いところは、グーグルのような儲かるビジネスモデルを作る力がないところでしょう。すごく良いテクノロジーを持っていても、それを儲けにつなげられないのでは意味がありません。

ＱＲコードを発明したのはデンソー[※22]です。元々製造現場の効率化のために開発したものであり、その意味では役に立ったと思います。しかし収益化には結びつけられずに、結局、中国に上手に使われて、キャッシュレス決済の一時的最先端を取られてしまいました。

テクノロジーとビジネスモデルは両輪とみなして、一緒に回すことが大事なのです。しかし日本人はテクノロジーといわれるとテクノロジーしか見ない人が多い。つまりテクノロジーとビジネスが交流していないのです。大学と企業の関係と似ています。

最後のチャンス

このテクノロジーとビジネスの断絶をまずどうにかしないと日本には先がありません。

ただこうした危機に対して、「変わらなければ」という動きも徐々に見られるようになりました。国内でも四十代以下の若い世代を中心に、テクノロジーとビジネスをしっかり結びつけようとしている人が確実に増えてきています。そうした若い人たちを理解し、力になろうとしているシニア層だっています。

まだ間に合うと私は思っています。ですが、もう残された時間は少ないという実感も同時にあります。コロナ禍でDXが急に進み始めた今が最後のチャンスです。喉元過ぎれば熱さを忘れるにならないうちに楔（くさび）を打ち込みたい。

以降の章では、様々な分野で具体的にデジタル化がどのように進展しているか、あるいは成功している企業ではテクノロジーをどのように活用しているかについて、ネットや他の本では手に入れられないような情報を載せています。

私のビジネスパートナー、DX推進に成功している日本のビジネスパーソン、そしてテクノロジーに詳しい気鋭の学者から得た知見を紹介し、各章の最後で私の考えをまとめる、といった構成になっています。

自社でDXを推進したいという方や、自分自身がデジタル人材となり活躍の場を広げたいという方にとって必須の情報となるでしょう。読者の皆さまが、一人でも多く、一日も早く動き出してほしい。その一助になることができればこれ以上のことはありません。

※1　ウォルマート
一九六二年に設立された、米アーカンソー州に拠点を置く世界最大のスーパーマーケットチェーン。日本では西友の親会社としても知られていたが、二〇二一年に同社の株式売却を予定している。

※2　サブスクリプション
定額料金の支払いで一定の商品を利用できるサービス。契約期間中は自由に商品を使うことができるが、契約期限以降は利用ができなくなる。

※3　マッキンゼー緊急提言
正式には、「【マッキンゼー緊急提言】デジタル革命の本質：日本のリーダーへのメッセージ」。二〇二〇年に、世界を代表するコンサルティングファームであるマッキンゼー・アンド・カンパニーがコロナ危機とデジタル変革について日本の課題をまとめたレポート。

※4　アウトソーシング
外部委託。あるビジネスを外部組織に委託し、労働サービスとして購入すること。

※5　Abema
株式会社AbemaTV。ライブストリーミング形式のインターネットテレビサービスを提供する日本の放送企業。サイバーエージェントとテレビ朝日が出資して設立された。ユーザーは基本無料で放送を視聴することができる。

※6　GAFA
ＩＴ企業のトップに位置する四企業を表す略称。グーグル（Google）、アップル（Apple）、フェイスブック（Facebook）、アマゾン（Amazon）の頭文字を並べたもの。

※7　グーグルの猫
二〇一二年に起きたＡＩの転換期となった事象。グーグルが開発したＡＩが、ディープラーニングを活用することで猫の画像識別に成功。「ＡＩが猫の画像を見分けられるようになった」として、大きな話題を集めた。

※8　アルファ碁
グーグル・ディープマインドによって開発されたコンピュータ囲碁プログラム。二〇一五年に、人間のプロ棋士を相手に初めてハンデなしで勝利したプログラムとして知られる。

※9　マイクロソフト
米ワシントン州に拠点を置くソフトウェアの開発、販売を行う企業。一九七五年にビル・ゲイツとポール・アレンによって設立された。日本では、WordやExcelなどのウィンドウズ向けのオフィスソフト・マイクロソフトオフィスを販売する会社として知られる。

※10　テスラ
二〇〇三年に設立。米シリコンバレーに拠点を置く自動車会社。その自動運転技術は世界最先端といわれ、自動車企業に革新を起こした。

※11　アマゾンGO
アマゾンが運営する食料品店。二〇一六年に初店舗をオープン。レジやショッピングカートが存在せず、消費者は専用のスマホアプリを使って決済する。レジに人がいらないため、大幅な人件費の削減が実現するとともに、消費者も余計な時間をかけずに商品を購入することができる。

※12　b8ta

ＩｏＴ家電など、最先端テクノロジーを導入した商品がお試し利用できる体験型店舗。消費者に実際の使用感を得てもらうことを目的として、商品を提供するメーカーからは利用料金を受け取る。

※13　ＲａａＳ

「サービスとしての小売り」とも訳される。店舗スペースを定額料金で貸し出すなど、サブスクリプションモデルで小売業を支援する新しいビジネス体系。

※14　Uber

ウーバー・テクノロジーズが運営する、自動車配車ウェブサイトおよび配車アプリ。サービスを利用することで、一般の人でもシェアライドを行うことができる。日本では、デリバリーの代行サービスとして見られる面が強い。

※15　ＩＢＭ

米ニューヨークに拠点を置く、コンピュータ商品およびサービスを提供する企業。一九一一年の創業から、二〇〇〇年頃まで同分野をリードしてきたが、現在その規模は縮小傾向にある。

※16　ＣＩＯ

企業の情報戦略における最高責任者。

※17　CDO
企業のデジタル分野における最高責任者。

※18　ヒューレット・パッカード
HPの略称で知られる。一九三九年に米カリフォルニア州で創業。電気・電子計測器メーカーとしてスタートするが、現在はコンピュータの開発・販売会社としての知名度が高い。同分野の先駆けとして市場を席巻し、世界初となる関数電卓の開発などでも有名。

※19　ファイザー
米ニューヨーク州に拠点を置く製薬会社。二〇二〇年はロシュに続き、製薬会社の世界売り上げランキングで二位に入った。

※20　D-Wave
一九九九年に設立。カナダ・ブリティッシュコロンビア州バーナビーに拠点を置く量子コンピュータ企業。二〇一一年五月にD-Wave Oneを発表し、「世界で初めての商用量子コンピュータ」として注目を集めた。

※21　セールスマン巡回問題
複数の都市を巡回し出発地に戻ってくることを想定した際に、考えられる巡回路の中で総移動コストが最小のものを求める問題。巡回する都市の数によっては膨大な計算量を必要とし、計算領域における最難関問題の一つとして知られる。

※22　デンソー

トヨタグループに属する、愛知県刈谷市に拠点を置く自動車部品メーカー。主な開発分野に熱機器関連や、エンジン関連の商品があり、近年では無人航空機（ドローン）分野にも参入を果たした。一九九四年にＱＲコードを開発した事業部は二〇〇一年にデンソーウェーブとして子会社化した。

第　二　章

SaaS
ものづくり時代の
おわり

日本企業の苦手分野

デジタルエコノミーにおいて、企業経営に不可欠な三要素というものがあります。ＳａａＳの活用・Ｍ＆Ａの推進、そしてＭ＆Ａ相手を見極めるためのＣＶＣです。

ＳａａＳとは「Software as a Service」の頭文字を取った言葉です。自社開発ソフトやパッケージソフトを自社のサーバーに導入するのではなく、クラウド上にすでに存在しているソフトウェアを必要な分だけサービスとして利用する形態を指します。Ｍ＆Ａは「Mergers and Acquisitions」の略で、日本語に訳せば「合併と買収」となります。そして、ＣＶＣは「Corporate Venture Capital」のことです。投資を本業としない事業会社が、自社の事業分野と関連する事業に取り組むベンチャー企業に対して、新たな価値を生み出すことを期待して出資することを指します。

これらはアメリカやヨーロッパ、あるいは中国などでもあたりまえに行われていることなのですが、日本の伝統的企業はこの三要素の活用が実に苦手だといわれています。

前章で説明しましたように、この章から様々な問題や課題、トレンドに対して、その道のスペシャリストの知見を紹介します。本章では私のビジネスパートナーでＳａａＳ投資の第一人者である倉林（くらばやし）陽（あきら）氏を招きました。彼は数々のＭ＆ＡやＣＶＣに関わってきた実績を持ち、この三要素に関する質問にも的確な答えを示してくれました。

倉林陽 *Akira Kurabayashi*

DNX Ventures マネージング・パートナー兼日本代表。同志社大学博士(技術・革新的経営)。ペンシルベニア大学ウォートンスクール経営大学院(MBA)、東京大学Executive Management Programを修了。富士通株式会社、三井物産株式会社にて日米でのベンチャーキャピタル業務を担当後、Globespan Capital PartnersおよびSalesforce Venturesの日本代表を歴任する。
これまでにSansan、マネーフォワード、チームスピリット、フロムスクラッチ、アンドパッド、サイカ、カケハシ等国内主要SaaS企業への投資、および社外取締役としての支援実績を持ち、SaaS投資の第一人者として知られる。

ものだけでは利益は生まれない

デジタルエコノミーの世界ではＳａａＳの活用が欠かせません。日本ではＳＩ[※1]（受託型のシステム開発・導入）の市場が七兆円くらいあります。その他に、売り切り型のパッケージソフトが一・五兆円、クラウド全体が一兆円です。そしてクラウドの半分の五千億円がＳａａＳといわれています。

このＳａａＳが今、急速に広がっています。ＳＩやパッケージソフトの課題としては初期コストが高かったり、アップデートやメンテナンスが大変だったりといった欠点が挙げられました。その課題を解決したいという狙いでクラウドやＳａａＳに移行し始めているわけです。

「ですがアメリカと比べるとようやくという感は否めません。アメリカでは二十年くらい前にＳａａＳのコンセプトが登場し、今ではその代表格であるセールスフォース[※2]の時価総額がパッケージソフトの代表格であったオラクル[※3]を超えました」（倉林氏）

日本では大企業が大きなシェアを持つＳａａＳを生み出せていませんが、アメリカも同じだといいます。倉林氏が日本代表を務めたSalesforce Venturesも、元々はスタートアップだったセールスフォースの投資部門です。小さい規模で始まったところに、優れたエンジニアとデザイナーとビジネス変革を目指す起業家が集まって、ＳａａＳの歴史を塗り替えてきたのです。

すでに数十年の歴史を持つ巨大ITベンダーであるオラクルやマイクロソフトがSaaSを最初に始めたわけではありません。なので、企業の規模は関係がないといえるのですが、オラクルやマイクロソフトと比較すると、規模が小さい富士通[※4]やNEC[※5]でもSaaSアプリケーションは生み出せていません。同氏はこのことを問題視すると同時に、至極単純な理由があることを説明しました。そこには才能が集まらないのです。

才能のある日本人エンジニアがたくさんいることは広く認められています。実は、彼らは世界レベルで見ても能力が高いので、海外のクラウド業者からも引っ張りだこなのです。

ただ、その才能ある日本人エンジニアは、国内・外資にかかわらず大企業で働くことを嫌う傾向にあることを同氏は指摘します。自己成長を実現でき、成果とデータを重視して、それ以外の余計な縛りやしがらみがほとんどないスタートアップで仕事がしたいというのが彼らの望みだそうです。

倉林氏は「日本の場合は彼らにとって幸いなことに、市場に出回っているソフトはSIer[※6]が作った古いものばかりしかありません。それを今、才能あるエンジニアが集まるスタートアップが次々とSaaSに置き換えています」と言います。つまり、未開拓の土地が日本には山ほどあるようなものなのです。

同じようなことは、アメリカではずいぶん前から起きていました。始まりは顧客管理や人事の分野からです。セールスフォースが顧客管理ソフトで世界一位なのは有名ですが、人事領域だとSuccess[※7]

Factors や Workday[※8] がどんどん大きくなりました。

ＳａａＳの二大潮流

今はＳａａＳに関して大きく二つの流れができていることを、倉林氏は教えてくれました。一つは、「インダストリークラウド」という特定業界向けのサービスです。製薬業界向けでは顧客管理で大成功している Veeva Systems[※9] がありますし、建設業界では Procore[※10] という会社が上場しようとしています。

倉林氏の投資先でも、建設業界向けでは日本でアンドパッド[※11] という会社が最近六十億円を調達し、薬局業界でもカケハシ[※12] が力をつけています。ちなみに同氏がカケハシに投資を決めた二〇一六年頃、カケハシの競合会社の画面デザインが、彼が新卒で富士通に入社した頃（一九九七年）と同じだったそうです。

「それぐらい平均的な日本企業は遅れていて、そこに優秀なスタートアップがユーザーインタフェースの優れたモダンなＳａａＳアプリケーションで参入してくれれば、当然ですがコンペで勝ってしまうわけです」（倉林氏）

そして、もう一つの流れは、今アメリカで起きていることで、これから日本にも当然入ってくることです。倉林氏が「ＳａａＳマネジメント」と呼んでいる流れです。これだけＳａａＳが出ているのですから、その広がりにより新たに発生するインフラの部分で次々と新しいサービスが登場しているのです。

同氏が挙げてくれた例がアメリカのOkta[※13]です。人事情報と紐づけて社員が使えるグーグルアカウントやセールスフォースアカウントを判断したり、それぞれの社員に権限を設定したり。そういった複数のシステムを、一度の処理で利用する機能をシングルサインオンというのですが、それをＳａａＳで提供しているのがこの企業です。一つの会社が何十ものＳａａＳを利用するようになってきたので、求められるサービスとなりました。

さらにHIGHSPOT[※14]というアメリカで一大成長を遂げている企業のことも同氏は例に挙げました。ＡＩなどを含めたデジタルツールを活用し、営業の仕組みを最適化することで営業効率を最大化する取り組みを「セールスイネーブルメント」といいます。HIGHSPOTはこの分野で大変有名です。

ＳａａＳが広がることによって付随的に出てくるサービスが日本でも次々と出てきていることを倉林氏は指摘します。彼はアメリカを見てきて、これから日本でも求められるとわかっているから「ＳａａＳマネジメント」関係のスタートアップにも投資をしているのです。アメリカを追いかけながら日本も進んでいることを教えてくれました。

経済を回す重要分野

ＳａａＳはアメリカでは、もはやデジタルエコノミーの中心です。「コロナ禍でアメリカの上場企業はみんな株価が下がりましたが、上場しているＳａａＳ企業の株価が最初に戻ると予想したところ、ものの見事にＳａａＳ上場企業だけ株価上昇率が上回って四カ月以上経っています」と倉林氏は言います。

理由は単純です。リモートワークが中心になると、デジタルトランスフォーメーション（ＤＸ）が求められます。そしてＤＸの中心にＳａａＳがあるためです。

実際の事例を倉林氏が紹介してくれました。

「ＳＦＡ、ＳａａＳを提供している私の投資先は、コロナ禍で業績が拡大しました。今まで日本の中小企業は、Excelで商談を管理して、みんなが集まってExcelの帳票を見ながら営業会議をしていました。しかしリモートが中心になれば、商談管理はＳａａＳの営業支援システムを使わないといけないという状況になります。また、不動産会社向けのＳａａＳを提供している投資先は、コロナ禍で内覧のアテンドができなくなった不動産会社からの問い合わせが殺到しました。それは、ＶＲの技術を使って仮想的に内覧する機能を提供していたからです。こうした取り組みができた企業はコロナ禍

でも圧倒的に売り上げが伸びました」（倉林氏）

ＤＸの中心にＳａａＳがあり、不景気になるとＳａａＳ提供企業は逆に成長が加速するということが実際に起こっています。顧客から必要とされているということもありますし、提供側からすればサブスクリプション型ＳａａＳの定額課金は循環型で継続利益を生むから不景気に強いのです。

売り上げが個々の取引によるビジネスの場合は、景気が悪くなったら顧客が金を出し渋ることで業績が大きく落ちます。しかし、サブスクリプション型の場合は解約率がマイナスになる会社も多いのだと、同氏は話してくれました。

仮に十億円の売り上げがある会社は、解約率マイナスなら増益するわけですから、新規の顧客を得ることがなくても売り上げが十一億円、十二億円ということになっていきます。そうなるとコストさえ抑えれば不景気でも生き延びることができます。

この手の会社は、普段は成長を重視し、営業やマーケティング投資を積極的に行っているため利益を出していません。逆にいえば、景気が悪くなったら、営業やマーケティングの経費を抑えるだけでキャッシュを生み出せるのです。これがサブスクリプション型のＳａａＳの大きな強みなのです。

オンライン化の流れは元に戻らない

　コロナ禍で日本のＤＸが一気に進んだと感じます。特に決済プロセスの電子化が進んだのは大きい。会社に訪問して、スーツとネクタイでプレゼンしないと契約してくれなかったような人たちも、リモートで承認せざるを得なくなったことでマインドが変わってきたのでしょう。

Zoomのようなビデオ会議システムも多くの人が使うようになりました。倉林氏の所属するＤＮＸにＬＰ（有限責任組合員）として出資するある地方銀行が、最近Zoomを使い始めたことに倉林氏は感動したといいます。シリコンバレーをよく知る人間から見ると、日本企業がZoomを使い始めただけで感動するほど遅れていたのです。

　営業も毎回訪問できる時代ではなくなったので、ウェブでのセールスで完結できるかどうかが商談の成否の分かれ目になりました。対面だと出席者が誰で、意思決定者が誰だということは一目瞭然でわかります。今の話はあの人には刺さったというようなことも表情でわかりました。それ以外にも様々なことが五感でわかるものです。

　しかしZoomだとそれができませんから、どう工夫し克服するかがカギになるのだと同氏はいいます。そこで、あらかじめ何をプレゼンするのか事前準備を徹底したり、対面での会議以上に一人一人が話の内容を理解しているか確認をしたりするなど、様々な方策を講じるのです。

ウェブセミナーなども一気に広がって、Zoomでの経験が蓄積されてきたので、人々はオンラインでの商談が上手になってきました。

「この流れは、一度オンラインの効率的なやり方に慣れてしまったら、元には戻らないと思います。効率的なところを残しつつ、オフラインもミックスしたハイブリッドになるでしょう。

特に金の使い方が効率化されるとわかった企業は戻れないはずです。オフィスは要らないとか半分でいいとか地方でいいとか。そのように変わっていくでしょう」（倉林氏）

デジタル時代に必須の武器

CVCやM&Aもデジタルエコノミーに必要な経営戦略です。アメリカの上場企業の株主は機関投資家なので、彼らの期待に添うスピードで成長を遂げることが求められます。そのため、M&Aで優秀な事業を買って、買収相手の人材も引き入れることで高い成長率を維持することを、倉林氏は現代を生きるための必須事項に挙げます。

M&Aの成功率を高めるためには、パートナー候補に先行投資すること、すなわちCVCによって相手を見極めます。

「SaaSはともかく、M&AとCVCの二つについて日本企業はまったくアメリカに追いついていません。特に大企業は一部を除くとさっぱりです。その理由は、残念ながら正真正銘といえるデジタル企業が極めて少ないからです」（倉林氏）

日本の大企業の多くは製造業出身で、年功序列・終身雇用であるため経営層があまりデジタルを理解しないことが問題だといいます。出世を遂げたシニア層は改めて新しいことを学ぶモチベーションが低いため、若い人に任せておけという感覚なのでしょう。その結果、SaaSを含めたクラウドの活用も遅れて、デジタル時代の経営に必要なM&AやCVCも遅れているのです。

前述したように、M&Aを成功させるためにCVCがあります。しかし日本企業の場合、M&AよりCVCのほうがリスクが低く、既存の組織文化に変更を加えなくても簡単に始められるからとりあえず始めようという発想で手を出す企業が多くなっているということを、同氏は問題視します。

その結果、CVCを始める際に他の独立系VCに丸投げするというおかしなことが日本だけで起きているのです。それではM&A先を見極めるというCVCの大きな目的はほとんど果たせません。

伝統的な日本企業という足枷

ただ、日本でもM&Aでうまくいっている会社はあります。

「そういう会社はスタートアップを買収することでスピード感を持って成長していくだけではなく、スタートアップの社長を役員として迎え入れて、その事業を任せています。Sansan[※15]やマネーフォワード[※16]などの新興のIT大手は、アメリカ企業とマインドが変わりません。買収した側もされた側も若くて優秀な人が多く、セールスフォースと同様のM&Aの仕組みを回しています」（倉林氏）

日本のオープンイノベーション・M&A・CVCの成功事例は、大企業からほとんど出てこないだろうというのが彼の意見です。むしろ「新興のIT大手企業が実践していく可能性が高い。あるいはグーグルやセールスフォースといったアメリカの大手が日本の優れたスタートアップを直接買って日本で事業をし、日本の大手企業だけが取り残されることに今後なっていくだろう」とも言います。

そう考える根拠として倉林氏が示すのが次の図です。

伝統的日本企業とデジタル時代の覇者の違い

	伝統的日本企業	テックリーダー
ゴール	長く続く会社	企業価値の向上
重視するKPI	利益	売上高成長率
事業開発手法	自社開発	M&A／CVC／自社開発
人事・組織制度	年功序列／終身雇用／新卒一括採用	適材適所／実力主義／権限委譲
重視するステークホルダー	社員	株主／社会

出典：DNX Ventures

日本の大企業は、主に製造業出身で戦後の日本が輝いていたとき（高度経済成長期からバブル崩壊前まで）の製造業の成功体験に囚われているといいます。

そのため、会社は長く続くことが大事。最重視する重要業績評価指標（ＫＰＩ）は利益で、プロダクトは自前で開発といった価値観をいまだに持ち続けています。その価値を実現するための施策が、新卒一括採用・終身雇用・年功序列で、最も重視する企業の利害関係者（ステークホルダー）は社員になると同氏は定義します。

もちろんそうではない会社もありますが、あくまで平均的な日本の大企業をわかりやすくするため、ややデフォルメすると、このような形になると説明してくれました。終身雇用・年功序列は崩れつつあるといわれていますが、セットである新卒一括採用はなかなか根強いのが現状です。これをやめない限りは終身雇用・年功序列も中途半端に残ることでしょう。

一方で「デジタル時代の覇者」と呼ばれる企業は、重視するステークホルダーが株主や社会になるといいます。人事制度は適材適所・権限委譲をあたりまえとして、プロダクトについては自社開発もするけれど、株主が成長率を期待しているのでＭ＆ＡやＣＶＣで外部の技術を取り込みます。ＫＰＩは売上高成長率で、企業価値（時価総額）の向上が会社の存続目的になると同氏は定義するのです。

繰り返しになりますが、この中でデジタル時代の覇者の経営手法として大切なのはＭ＆ＡとＣＶＣです。Ｍ＆Ａが主目的で、その成功確率を上げるためのＣＶＣという関係になります。

ですが倉林氏の考えだとM&Aは、伝統的な企業文化には合いません。M&Aを本当に成功させるためには、買収した会社の社長にリーダーシップを取ってもらわないといけないからです。そのため、前述したように、最も重要なステークホルダーが社員で、年功序列・終身雇用の人事制度なのに、外部から来た人がいきなり役員になるとすれば、ずっと働いてきた社員からは反発をくらいます。もう一つ、日本企業がM&Aが苦手な理由は、業績評価として利益を最重視するからであるとも教えてくれました。スタートアップは大概赤字ですので、買収するとその赤字を取り込むことになります。また、M&Aを実施するとのれん代がかかるので、利益が減るのです。

こうした日本ならではの体制こそが倉林氏の話す、日本企業が取り残される要因となります。

伝統的日本企業の文化のままCVCだけ持ち込むと……

	伝統的日本企業	CVCの失敗理由
ゴール	長く続く会社	将来の成長に寄与するスタートアップより、短期的に利益を出す事業を重視
重視するKPI	利益	
事業開発手法	自社開発 CVC	M&Aがないので最大の戦略的リターンを取り込めない
人事・組織制度	年功序列 / 終身雇用 / 新卒一括採用	CVCのプロを採用して任せることができない
重視するステークホルダー	社員	

出典:DNX Ventures

なぜ日本企業はCVCの目的を見失うのか？

日本企業の文化に合わないM&Aと比べると、CVCは簡単にできそうに見えます。それで、CVCだけ別の予算枠を作って、担当者に好きにやれということになるのです。

「損の幅がはっきり見えるので決済も通りやすくなっています。その結果、あれほどコスト意識の高い日本の製造業の社員が、CVCに関しては何か効果があればいい、キャピタルゲイン[※17]は気にしないというようなことを言い出して、金を湯水のように使い始める。これがアメリカですと、CVCといえども株主から預かった金でやるからには、戦略的リターンの実現と同時にファイナンシャルリターンも回収できることはあたりまえだという考え方になります」（倉林氏）

最終的にM&Aの先を探すためのCVCなのですが、日本企業にはそのような考え方がないので手段が目的化する。とにかくCVCを始めよう、外注しようという話になりがちです。同氏のたとえに従うと、M&Aを結婚とすればCVCはお見合いということになるのですが、他人にお見合いに行ってもらうような話です。うまくいくはずがありません。

一方で、日本企業でもマネーフォワードやSansanのようなベンチャーは、M&Aの実務経験が豊富な元バンカーらが経営陣にいることを、同氏は知っています。経営者もそうした人たちの力が必要なことを理解しており、経営陣の一人として登用し持ち株も渡します。日本の大企業だと自社株を持っていない役員がいることもあるので、そもそものマインドが全然違うのです。

「コアコンピタンス」への誤解

「日本の大企業に大事なのは学ぶ姿勢ではないでしょうか」

倉林氏に今の日本企業に必要なことを尋ねると、この答えが返ってきました。

ベンチャーキャピタルビジネスとはどういうものか。日本のベンチャーキャピタルだけ見ていたら、本当のベンチャーキャピタルの姿が見えてきません。そしてCVCはどうすればいいのか。これも米国の先端事例を学ばなければ本質的な位置づけが見えてきません。一から学ぶべきなのに、学ぶと自らにとって不都合な真実を知ることになるので、目を閉じてしまう。アメリカではCVCやM&Aを知り尽くした人材を外部から市場価格を払って登用し、重責を担わせます。

ここでも新卒一括採用で終身雇用という日本の人事制度が足枷(あしかせ)となっていることを同氏は指摘します。外から人を雇いたくないので社内の人にCVCを任せたくともそれが難しく、消去法で外注を選択してしまうのです。

CVCもM&Aも専門的な分野なので社員を鍛えて、育てないといけないのですが、日本の大企業はすぐ人事ローテーションをするので、育ったと思ったら別の部署に異動してしまいます。

そうなるとまた新しい人を育てなければなりません。しかし育てた人もまた異動してしまいます。

いつまで経ってもデジタル時代の経営に求められるM&AやCVCを担う人材が出てきません。

「日本企業は『コアコンピタンス経営』[※18]や『選択と集中』という言葉が好きで、強みである本業に集中して、他は外注すればいいと考えがちです。しかし現実として事業領域はさほど絞り込めておらず、むしろ経営機能、経営資源を絞り込んでいる企業が多い印象です。そしてITやマーケティング、さらには事業開発機能の重要な一部であるCVCも外注してしまう事例が目につきます。このやり方は本質的に事業運営上の様々な矛盾や軋轢を伴うものであり、CVCという手段が目的化している、日本だけで見られる現象です」（倉林氏）

ITやマーケティングももちろん、M&AとCVCも経営の中枢であり、これらを外部に切り出すことはできないのです。実務を外注することはできても、企画やマネージメントは絶対に自社で実行するべきです。

ソフトウェアがわからない上層部の危うさ

前述したように日本の伝統的な経営モデルは製造業です。他の業界にしても製造業の経営方法に大きな影響を受けています。ですがもはや「ものづくり」の時代ではありません。

倉林氏はこうした世界情勢を踏まえて「デジタル時代の覇者はソフトウェア企業です。それにもかかわらず、日本では製造業の経営モデルで、ソフトウェア企業の経営モデルであるCVCを実施しようとしています」と日本の弱点を示唆します。

そして、その根本的原因は、日本の大手製造業はソフトウェアに対する理解の低いシニア層が経営の舵を握っているためであると指摘します。大手製造業は戦後、銀行と持ちつ持たれつで成長してきました。だから今でも間接金融[※19]が中心です。しかしデジタル時代は直接金融[※20]の時代でもあるということを理解しなければなりません。

GAFAといわれる会社はベンチャー時代にVCやエンゼル投資家[※21]から資金を調達して大きくなりました。今のスタートアップは、VCはもちろん、クラウドファンディング[※22]のような手法で資金調達をします。そのほうが、スピード感があるからです。M&AとCVCも広義の直接金融です。間接金融で育ってきた製造業のシニア経営層には苦手意識があるのもやむを得ないことかもしれません。

日本でもデジタル時代の直接金融が得意なマネーフォワードやSansanの経営陣は、主に三十代後半から四十代前半で占められています。一方で大手IT企業の社長は六十五歳くらいです。これはデジタル時代には、ちょっと高年齢の経営者ではないでしょうか。「他業界ならともかくIT企業はもっと若い経営者、せめて五十代がけん引していくべきではないでしょうか」と同氏も唱えます。

ＩＴ企業は「下請け」ではない

大企業の経営者でデジタルがわかる人はほとんどいません。それは、ＩＴを外注してきた世代だからです。日本は稀有な国で、ＩＴ人材の約七割が富士通やＮＥＣといったベンダーに所属しています。その上、ほとんどの大企業でＩＴ部門の人はエリートではありません。ＩＴ部門出身の社長はとても少ないのです。ＩＴ部門の規模も小さく、外注しないとシステムが作れません。

「それでＩＴ部門の人たちが富士通やＮＥＣにお願いしてシステムを作ってもらっていました。その富士通やＮＥＣも本来は顧客のデジタル化を推進する大企業ですが、ＩＴ部門の下請け扱いで社会的ステータスが低い。一方で、なぜか日本では広告代理店のステータスは高く、電通、博報堂といえばクリエイティブでかっこいいイメージがあります。米国と比較すると、広告代理店とＩＴベンダーの社会的ステータスは完全に逆転しています」（倉林氏）

アメリカの広告代理店は、電通のようにクリエイティブやマーケティングに関与せず、責任者に言われた通りにテレビＣＭの枠を買うだけの会社です。広告パーソンはセクシーな仕事ではありません。ＩＴ企業の人たちのほうがずっと社会的地位が高いのです。

またアメリカでは、約六五％のＩＴ人材が一般企業側にいます。ＧＡＦＡなどにＩＴ人材が集中しているイメージがありますが、社内にもＤＸを遂行できる人材がいるのです。

日本の情報システム部門の人たちは少人数であり、ＩＴを外注しています。したがってこの人たちに急にＤＸをやれと言っても、社内のインフラ管理・運用管理を担当する人たちですし、そもそも人手不足ですから無理があります。

そこでＤＸ推進部門を作るのですが、そこにもデジタルの経験者が少ない。外部から採用したいのですが、そこでまた人事制度が壁になってしまっています。

とはいえ、出戻りではありますがパナソニックがマイクロソフトの樋口泰行（ひぐちやすゆき）氏を経営陣に招き入れたり、富士通もＳＡＰ[※23]ジャパンの社長だった福田譲（ふくだゆずる）氏をＣＩＯ兼ＣＤＸＯ（最高デジタルトランスフォーメーション責任者）補佐に就任させたりなど、日本の大企業でも外部のデジタルがわかる人材を取り入れる動きが出てきています。このことに同氏はいくばくかの希望を見出しているようでした。

しかしまだまだスピードが足りないというのが実感でしょう。日本企業、特に大企業は、もっとデジタル人材をリスペクトしなければいけないのです。

テクノロジーがわかる人材を得るためには

それではＤＸを推進できる人材はどこにいるのでしょうか。

残念ながら日本の伝統的ＳＩｅｒではないようです。彼らは具体的なシステムに落とし込むことは得意ですが、企業に最適なＤＸを設計するのは難しいでしょう。発注側の企業の求めに応じて、業務システムを作ってきただけだからです。

ＤＸ関連のシステムは、業務の自動化という側面もあります。しかしそれ以上に重要なのは、企業戦略の実行に資するシステム、売り上げを伸ばすためのシステム、データに基づいたマーケティングを実現するシステム、であるはずです。ＳＩｅｒの社員はほとんどの場合、このようなシステムに関わってきたことがありません。

アメリカの伝統的企業、たとえばウォルマートはものすごい勢いでＤＸを推進していますが、その手段はスタートアップの買収です。スタートアップのＣＥＯにそのままポジションを継続してもらい、彼らにＤＸを任せます。

「アメリカでは伝統的企業でもデジタル時代の経営をきちっと理解しているということです。つまり、自分がわからなければ、年齢・国籍・性別など関係なくわかる人に権限委譲すればいいと知っていて、その通り実践します」と倉林氏は言います。

しかしなぜか日本の大企業の人にはこれができず、私も同氏もそのことが残念でなりません。一括採用・終身雇用・年功序列といったまるでお役所みたいな人事制度に問題があるとしかいえないのです。同じ会社に三十年在籍して、役員の地位に昇った人が、外から来た人間に何億円も払ってＤＸ推進をお願いすることができるかというと、心理的に抵抗があるのでしょう。

ただこの傾向ももちろん、すべての企業に当てはまるわけではありません。ヤフージャパンや楽天は主にBtoCの領域でM&Aを実践してきました。そして、ソフトバンクも欧米流の経営を進めています。ずっとM&Aを当然の経営手法として駆使してきた孫正義(そんまさよし)氏は、日本におけるデジタル時代の先達だといっていいでしょう。

孫氏の経営手法は、日本の伝統的な手法とは違うやり方なので、日本では爪はじきにされやすいのですが、最近ではソフトバンクがトヨタと提携するなど、こうした風潮も薄れています。孫氏が伝統的企業から認められてきたのは日本にとってはいい傾向ではないかと、同氏は言います。


「ヤフージャパン、楽天、ソフトバンクなどに限らず、こうした先達の出身者を社外取締役としてボードメンバーに入れることは、日本企業にとって変わるきっかけになるのではないでしょうか。というよりも、デジタルがわかっている人材を自社の社外取締役に招聘することは今後必須のことになるでしょう」(倉林氏)

ただデジタル人材を社外取締役として招き入れるとしても、経営者の意識が変わらないと意味がありません。倉林氏の話では、ある大企業の社員が「うちの社長、スタートアップを集めたイベントでワイシャツの上にTシャツを着るのをやめたらいいのに」と嘆いていたそうです。

その社長はイベントの中でスタートアップに対して話を求められても、社員に渡されたカンペを読み上げるだけで、しかも自社の新人社員に聞かせるような内容をスタートアップの経営者の前で話すといいます。そのあとにスタートアップのＣＥＯがプレゼンするセッションになると、プレゼンも聞かず途中退席していた。部下に言われてついてきただけで、ＩＴなんてわからないし、本当はスタートアップにも興味がない——情景が目に浮かぶようですが、やはりそういう社長にはデジタル時代の経営は難しいといわざるを得ません。

「セールスフォースのマーク・ベニオフは、あれだけの巨大企業になってもいまだにスタートアップが大好き。次のミーティングの約束の時間になっても、若い起業家の話に熱心に耳を傾けていました」と倉林氏は目撃談を語ってくれました。

そして同氏はその後、セールスフォースを離れ DNX Ventures に参画すると、日本の大企業を担う経営者のＩＴに対する無知やスタートアップを軽視する姿勢を見てがっかりしたといいます。

デジタルを理解するためには人を呼ぶしかない

「デジタルを理解するためにはアメリカを知らないとダメ。そのためには英語力は必須だ」と倉林氏は力説します。英語ができないとアメリカで生の情報を入手することが困難です。逆に英語ができると、アメリカの先端企業の経営者に社外取締役になってもらうこともできます。

日本の大企業の取締役会は英語で会話ができないので外国人を連れてこられません。しかたなく日本語がわかり、デジタルがわかる人を社外取締役にしがちですが、「取締役」なのだから経営がわかる人でないといけないはずです。ですが往々にして経営者の資質がない人を社外取締役にしてしまいがちです。

そういう人を取締役にするぐらいだったら、Sansanの寺田親弘(てらだちかひろ)氏のような人を社外取締役にすればいいと倉林氏は主張します。四十代である彼でもシニア層の経営者からは「若造」に見えるのかもしれません。それでも、年齢とは関係なしに、デジタルがわかるだけでなく、デジタル企業を自ら創り出したことのある経営者を選ぶべきです。

一方で、「新興ベンチャー大手企業は、逆にシニアでも必要な人材だと思ったら招き入れることにためらいはありません」と同氏は言います。たとえばマネーフォワードでは、三井住友銀行元副頭取の車谷暢昭(くるまたにのぶあき)氏と三菱UFJフィナンシャル・グループ元取締役副社長の田中正明(たなかまさあき)氏を社外取締役として招聘しました。

倉林氏も同じくマネーフォワードの社外取締役なのですが、「車谷さんや田中さんのお話は必ずメモしています。金融業をやる会社として忘れてはいけない倫理観や金融ビジネスの本質論などのお話が非常にためになるからです。過去の失敗談やコンプライアンスの大切さといった議論はITスタートアップの目線を上げてくれるので本当に価値があります」とこの人事を高く評価しています。

マネーフォワードの社内取締役がアイデアや質問を取締役会でぶつけ、それに対して経験豊富な社外取締役が意見を述べるということが日常的に行われています。形式的で、議論のない日本企業でよく見られる取締役会ではなく、このような真剣勝負が繰り広げられている取締役会を作れるかどうかが、デジタル時代には重要なことなのです。

そういう意味では、ベンチャーの社外取締役に大企業の社長が就くというのは、大企業にとってもいいことではないでしょうか。大企業の経営者がそのような場で刺激を受けて、自社に持ち帰ることでデジタルに目覚めることができるのです。

デジタル時代に求められる能力や考え方とは？

ここまでの話からデジタル時代に求められる能力についても見えてきました。

① ＩＴやデジタルの理解
② デジタル経営の理解（Ｍ＆Ａ、ＣＶＣなどを含む）
③ 英語力

その上で年功序列主義や古いジェンダー観から早く脱却することも重要です。このあたりについても日本はとても遅れているのです。

「たとえばセールスフォースの社外取締役やリーダーシップチームの構成を見てください」と倉林氏は促します。女性がたくさんいて、チーフ・イクオリティ・オフィサー（ダイバーシティーに対応する役員）という役職があって、あらゆる形で先端の経営陣だといえるでしょう。それと比べて、全員が一社しか知らない日本人のオジサンばかりの取締役会では、イノベーションは起こせません。知見も視野も広がらないはずです。

世界四位の市場規模を誇るソフトウェア会社SAPは、企業資源計画を実現するために活用するソフトウェア（ERPパッケージ）[※24]を開発・販売していました。SAPのERPパッケージは世界一のシェアです。業界に関係なく過去には多くの企業が過去の成功体験にあぐらをかいて市場から消えていきましたが、SAPは違いました。そうなってもおかしくなかったのですが、生き残りをかけて急速にSaaS化に舵を切ったのです。

SaaS化を推進する手段としては、元々ドイツの会社なのにアメリカの拠点を大きくして、現地採用した人に権限委譲をするという方法を採りました。企業存続のためには国籍は関係ないのです。

これがどうしても日本の企業にはできません。ただすべての企業がこうした体質のままというわけではなく、「武田薬品が国籍にこだわらず社外取締役を招聘している動きに期待しています。こういう動きが他の日本の大企業にも広がっていけばいい」と倉林氏は言います。徐々にではありますが、現状を変えようという動きが見え始めているのです。

アメリカの企業でもマイクロソフトやグーグル（アルファベット）のトップは、インド人です。元々インド人はIT分野で優秀な人が多く、マイクロソフトもグーグルも優秀な人をトップに据えたら、たまたまインド人だったということなのでしょう。これが何度も言うように、新卒一括採用・終身雇用・年功序列の日本企業には難しいわけです。しかしもはやそんなことを言っている場合ではありません。

「若い人もシニアも何歳になっても新しいことを学び続ける姿勢が大事な時代となりました。これからは、自分自身を日々アップデートしていかないと使い物になりません。逆にその感覚があるのならいくつになっても成功する可能性がある時代になったともいえます」（倉林氏）

たとえば米国の一流大学にはエグゼクティブMBAコースというのがあって、そこに超エリートが自費でキャリアアップを目指して集まっていることを同氏は紹介します。日本の大企業のシニアもそれなりに高い報酬を貰えているのですから、自腹を切って一年ぐらい勉強してもよいのではないでしょうか。

それから手前味噌になるかもしれませんが、いいベンチャーキャピタルと話をするのもよいのではないかと考えます。Sansan の寺田社長が倉林氏に「良いVCと付き合うことで、急成長中のスタートアップや注目すべきテクノロジートレンドについて、効率良くまとまった情報を入手できるから助かる」と言っているのだそうです。

情報を持っている人が誰かを見極めて、そういう人たちと接点を持つ努力をしていく。これが現代で最も求められることなのかもしれません。

本章のおわりに

コロナ後の株価の伸びを見ればおわかりになると思いますが、大きく伸びたほとんどのビジネスがＳａａＳに関わるものでした。そうした状況を受けて日本のソフトウェアのあり方は、ガラッと変わったということがよくおわかりいただけたと思います。倉林氏は、元々富士通にいらっしゃったので、この分野における日米の違いも経験しています。お話の中では企業の裏側についても言及していただいたこともあって、じつに実のある内容となったのではないかと考えます。

特にエンジニアの所属している部門がまったく違うというところが、明確な日本の特徴です。こうした実情を踏まえた上で、これからどのようなビジネスを選んでいくのかを考えなければなりません。何でもかんでも誘い入れれば良くなるわけではないのです。現状を分析し、どういった形で物事を進めていくのかということを学んでいくことこそが、今の時代に必要なのではないでしょうか。

※1　SI
システムインテグレーション。コンピュータのシステムを開発・導入する際に外部に委託するサービス。

※2　セールスフォース
米カリフォルニア州に拠点を置く、顧客関係管理（CRM）を中心としたクラウドサービスの提供を行う企業。一九九九年に設立。現在は同分野のサービスで世界市場の二〇％を占有する。

※3　オラクル
米カリフォルニア州に拠点を置く、ビジネス用途に特化したソフトウェア会社。二〇一九年には同分野においてマイクロソフトに次ぐ世界二位の時価総額をつけた。

※4　富士通
日本の総合ITベンダー。ITサービスの売上高で国内一位、世界四位を誇り、通信システムや、情報処理システムおよび電子デバイスの製造・販売など、IT関連の事業を幅広く手がける。

※5　NEC
日本電気株式会社。東京都港区に拠点を置く住友グループの電機メーカー。ITシステムやネットワークシステムを提供するとともに、インフラ分野にも強みを持つ。

※6　SIer
ITを使って設計・開発・運用などを一括請負する情報サービス企業。顧客の要望に応じてシステムを構築する方法を取ってきたが、クラウドの登場によりその手法が危ぶまれている。

※7　Success Factors
二〇〇一年に設立。米カリフォルニア州に拠点を置き、顧客管理のためのクラウドベースのソフトウェアを提供する企業。

※8　Workday
二〇〇五年に設立。米カリフォルニア州に拠点を置く人事システムをクラウドで提供するSaaSベンダー。二〇二〇年の段階で世界三千二百社の顧客を持つ。日本では日立製作所なども利用。

※9　Veeva Systems
製薬およびライフサイエンス業界のアプリケーションに注力したアメリカのクラウドベースソフトウェアを提供する企業。米カリフォルニア州に拠点を置き、二〇〇七年に設立された。

※10　Procore
クラウド型の建設プロジェクト管理サービスを提供するユニコーン企業。二〇〇二年にアメリカで設立。二〇二一年現在、世界で二百万人を超えるユーザーがサービスを利用しているといわれる。

※11　アンドパッド

クラウド型の建設プロジェクト管理サービスを提供する日本企業。二〇一六年に東京都千代田区に設立され、同分野では日本一位のシェアを誇る。

※12　カケハシ

薬局向けに電子薬歴ＳａａＳを提供する日本のヘルスケアスタートアップ企業。二〇二〇年の緊急事態宣言下には、薬局を支援する「Beyond COVID-19 プロジェクト」を打ち出し、社会的貢献活動も行った。

※13　Okta

二〇〇九年に設立。米カリフォルニア州に拠点を置き、インターネット上におけるデジタルアイデンティティとアクセス権を管理するサービスを提供する企業。

※14　HIGHSPOT

二〇一二年にアメリカで設立。購入者を効果的に獲得するために必要なコンテンツ・ガイダンスなどを提供する戦略的かつ継続的なプロセス（セールスイネーブルメント）を法人向けに供給する企業。

※15　Sansan

二〇〇七年に東京都渋谷区に設立。法人向けに名刺管理のクラウドサービスを提供する。

※16　マネーフォワード

二〇一二年に設立。東京都港区に拠点を置き、個人・法人向けに金融系のクラウドサービスを提供する。個人向けには、資産管理・家計管理ツールを提供し、法人向けとしては、クラウド会計や、クラウド請求書を提供するサービスで知られている。

※17　キャピタルゲイン
株式や債券など、保有している資産を売却することによって得られる売買差益のこと。キャピタルゲインを度外視するということは、株価の上昇を目指さないということを指す。

※18　コアコンピタンス（経営）
顧客に対して、他社には真似のできない自社ならではの価値を提供する経営。またはその企業において中核をなす力。

※19　間接金融
金を借りる側と、金を貸す側の間に、第三者が存在する金融取引。銀行からの融資などがこれに当たる。

※20　直接金融
金を借りる側と、金を貸す側の間に、第三者が介在しない金融取引。証券取引などがこれに当たる。

※21　エンゼル投資家
創業して間もない企業に対して資金を供給する投資家。

※22　クラウドファンディング
不特定多数の人が他の人々や組織に財源の提供や協力などを行うシステム。インターネットなどを経由して活動の支

援が呼びかけられ、それを見た第三者が支援を行うかを判断する。

※23　SAP

ヨーロッパ最大級の大手ソフトウェア会社。一九七二年にドイツで設立。ソフトウェア製品の販売および導入支援、テクニカルサポートを提供する。SAPジャパンは一九九二年に設立したSAPの日本法人。

※24　ERPパッケージ

企業の根幹である会計・人事・生産・物流・販売などの業務を統合して一本化し、効率化するためのシステム。

第　三　章

リテールテック
体験としての売買

買い物の形は変わった

リテールテックとは、リテール（小売）とテクノロジーを組み合わせた造語で、小売業をIoTやAIなどのデジタル技術によって自動化・効率化する取り組みです。

最近になって近所のスーパーが、セルフレジを導入したという読者の方もいらっしゃるのではないでしょうか。これもリテールテックの一種であり、その包括する範囲は物流や在庫管理、決済方法なども含まれているため、多岐にわたるのです。モノの買い方、売り方を根本的に変えることにつながるので、この分野で革新的なサービスが登場することは、そのまま私たちの生活を大きく変えることにつながります。

そして、前章のSaaSと同様に小売業はコロナ禍で大きく変化しました。それは日本もアメリカも同様です。ただし、リテールテックへの対応のスピード感はどうかと聞かれれば、日本はアメリカよりもかなり遅いといわざるを得ません。

リテールテックについては、すでにアメリカでゲームチェンジャーとなったアマゾンGOなどの脅威もあります。こうした技術が本格的に日本に進出してきたら勝ち目はあるのでしょうか。アメリカの流通事情に詳しい前田浩伸（まえだひろのぶ）氏と日本の流通事情に詳しい中垣徹二郎（なかがきてつじろう）氏の二人からお話を聞きました。両国の専門家のお話から、日本が抱える課題と可能性が見えてくるはずです。

前田浩伸 *Hironobu Maeda*

DNX Ventures マネージング・パートナー。慶應大卒後、住友商事の国内インターネット事業に従事。住友商事のコーポレートベンチャーキャピタル(Presidio Venture Partners)にて、シリコンバレーのベンチャーキャピタリストとして活動。2006年にアメリカのベンチャーキャピタルであるGlobespan Capital Partnersに入社し、日本市場でのビジネス立ち上げに成功したPalo Alto Networks(パロアルトネットワークス)をはじめ多くのスタートアップを支援。2014年よりDNX Venturesマネージング・パートナーとしてアメリカおよびイスラエルのサイバーセキュリティー、リテールテックへの投資を行っており、Cylance、SafeBreach、JASK、AppDome、Fyde、Mitiga、NeuraLegion等の社外取締役または社外取締役オブザーバーを兼任。

中垣徹二郎 *Tetsujiro Nakagaki*

DNX Ventures パートナー兼Chief Partnership Officer。早稲田大学法学部卒、Kauffman Fellow。1996年、日本アジア投資株式会社入社からVC投資現場に携わり、投資本部長として国内のスタートアップ約40社へ投資。12社の上場、4社のM&Aを実現させた。主な過去の投資先は、SHIFT(東証1部3697)、エス・エム・エス(東証1部2175)、ラクーンホールディングス(東証1部3031)等。2011年よりDNX Venturesマネージング・ディレクターとして主に日本国内のVC投資業務に従事、投資先企業の育成支援とともに、ファンド出資者を中心とした国内事業会社のスタートアップとの協業を通じたオープンイノベーション活動の支援も手がけている。SHIFT(東証1部 3697)、Innova、UNCOVER TRUTH、favy、trippiece、TOKYO BASE(東証1部 3415)の6社にて社外取締役も兼任。

リテールテックへの誤解

リテールテックというと、オンラインとオフラインを融合してサービスを提供する小売業、そうしたイメージを持つ方が多いのではないでしょうか。有名な事例としてはアマゾンGOが挙げられます。実際にモノが置いてあるオフラインの店舗を展開しながら、センサー技術やオンライン技術を駆使することで決済に関わる人員をゼロにしてしまいました。

この画期的なシステムは消費者に衝撃を与え、リテールテックの先進的な事例とみなされています。しかしリテールテックの取り組みはそれだけではありません。実際には、かなり多岐にわたっています。そのことをわかりやすく説明してくれるものが前田氏の紹介する次の図です。

リテールテックとは

Supply Chain and Fulfillment

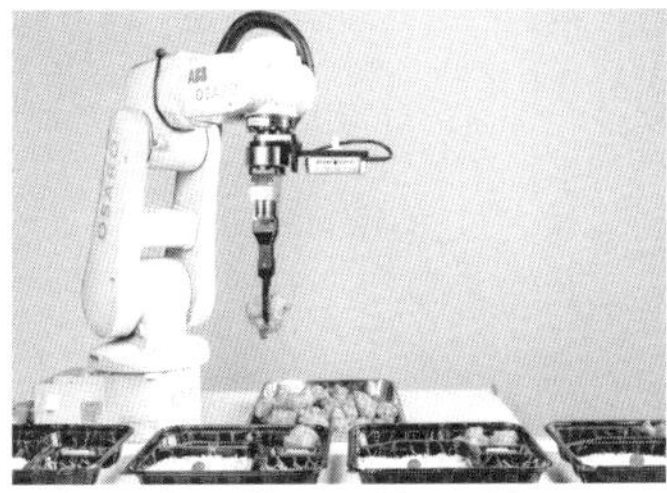

Examples: Osaro, Nuro, Myrmex,
6 River, Kiva

Shelf Management

Examples: Bossa Nova,
Eversight, TRAX

Data and Analytics

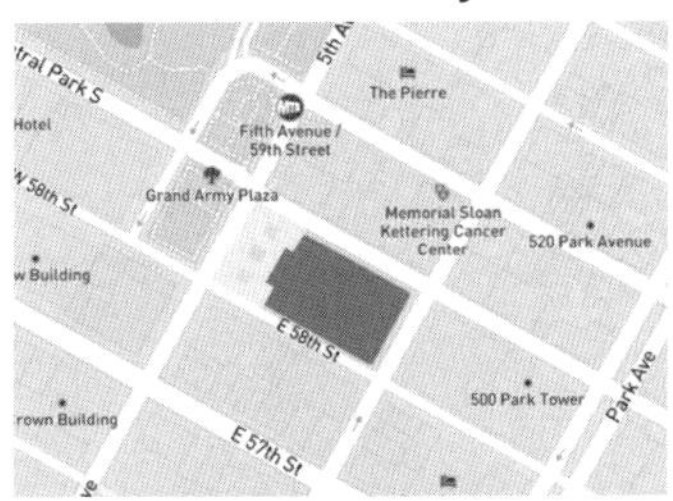

Examples: SafeGraph,
RetailNext, CB4

Automated Checkout

Example Companies: Amazon Go,
AiFi, Standard Cognition

Experiential

Example Companies:
Blippar, MARXENT

Omni-Channel Marketing

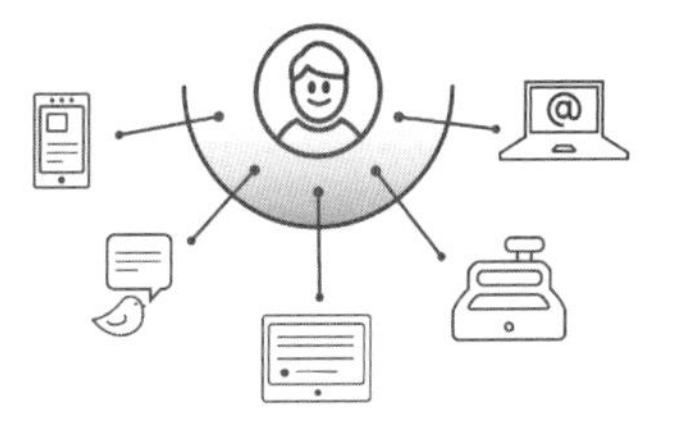

Example Companies:
NewStore, Cosmose

出典:DNX Ventures

この中で、サプライチェーン[※1]やフルフィルメント[※2]における自動化は、ロボティクスと連動する高度なテクノロジーを駆使するものです。今後伸びていく興味深い分野だと前田氏は説明します。

「小売業は元々大量のPOS[※3]データが重宝され、需要予測やマーケティングなどを行ってきたデータ活用が盛んな業界です。最近だとそれだけではなく、経営の意思決定から店舗や倉庫でのオペレーションの改善にも、データを活用するようになってきました。こうしたデータを活かすためにはAIとの組み合わせが必須です」（前田氏）

オンラインとオフラインの境界線がなくなっているのは、どの分野でも共通です。その中でも、テクノロジーによるオンラインとオフラインの共存を、他の業界よりも先端的に模索しているのがリテールテックだといえるでしょう。

小売の世界では、モノそのものではなく、それに付随するコト（体験）が重視されるようになったということを同氏は強調します。テクノロジーでどうやって体験型の購買を推進するのかという点も、リテールテックの大きなテーマなのです。

コロナが呼んだ加速度的変化

元々データ活用の盛んな小売業界ですが、リテールテックが盛んになってきたのはつい最近のことです。アメリカでは、ここ五年ぐらいの間に多くの大手小売業者が破綻しています。コロナ禍でそれがさらに加速して、業界全体に強い危機感が共有されるようになったのだと前田氏はいいます。

ただ、小売業界を対象としたスタートアップは過去にも存在していましたが、大手小売はデジタルテクノロジーをすぐに導入しなくても事業継続できる余裕があったということは事実のようです。そのため、金融などに比べるとデジタルの導入が比較的遅れていました。ところが、大手が次々と破綻し、このままではアマゾンが一人勝ちしていくのではないかという状況になると、ようやく現状を変える必要に迫られました。次世代の効率的な経営をしていかないと自社も破綻するということで、多くの小売業者が次々とデジタル化に取り組み始めました。

同氏によれば、こうしてリテールテック関連のスタートアップも次々に登場したのだといいます。

「資金に余裕がないスタートアップからすれば、どれだけ良い製品を作ってもすぐに導入されていかなければ、次の資金調達が困難になり、潰れてしまいます。リテール大手でのデジタル化の促進によりスタートアップはようやく売り上げにつながる状況になり、私たちVCにとっても面白い状況になってきました」(前田氏)

リテール関連に投資しているVCは、ここ十年で驚異的に増えており、VCがリテールテック業界に投資していた金額が二〇〇九年に年間約一・一億ドルだったものが、十年経った二〇一九年には百五十二億ドルと百五十倍近く伸びたのです。ここに来てようやく「熱い分野」として認識されるようになりました。

一方で日本についても見てみましょう。日本にはアマゾンなどのEC業者に飲み込まれるという危機感はあります。しかしそれ以前から抱えてきた課題がありました。市場の飽和にどう対応するか。これが日本のリテール業界の大きなテーマだったと中垣氏は指摘します。

市場の飽和への対策が第一優先である日本に、eコマースという脅威がやってくる。オンラインショッピングによる浸食というのは小売業界にとって世界共通の課題ですが、私たちはこの点からアメリカ以上に苦しい状況だといえるのです。

「これまでは大手百貨店が合従連衡（がっしょうれんこう）することなどで、なんとか破綻の一歩手前で踏み留まってきました。しかし、それで逆にデジタル化の取り組みが遅れてしまったことは皮肉な結果だといえるでしょう。テクノロジーに対抗することに躍起になって、取り込むことをしてこなかったのです」（中垣氏）

勝者と敗者の境目

アメリカのリテールテックへの取り組みとしては、アマゾンがもちろん有名です。一方で伝統的な小売業者とみなされているウォルマートも知名度で負けてはいません。

日本人からするとウォルマートは、デジタル化に関してアマゾンなどのEC企業より遅れているイメージを持つ方が多いのではないでしょうか。しかしウォルマートは、一九九〇年代にいち早くERPパッケージを導入して経営の最適化を実現した企業としても知られ、元々ITに強い企業であることを前田氏は説明します。昨今でも、デジタル化はもちろん、次々とDtoCブランド[※4]を買収するなど挑戦的な経営をしています。

ウォルマートがリテールテックの世界で成功している理由を同氏に尋ねると次の答えが返ってきました。

「彼らは最大手として君臨しつつも、アグレッシブに様々なことができる組織構成と社内文化になっています。それが成功の理由でしょう。ここ六、七年は、多くのスタートアップを買収しながら、その人材を取り込んで経営の主導権を取らせています。失敗も多いのですがそれが許される文化なので、スタートアップとパートナーシップを組み次々と新しい取り組みを展開しています」(前田氏)

私見ですが、ウォルマートというと以前は買収の失敗が目立っていたように思います。ここまでデジタル化が進んだことには、彼らの執念にも関係があるのでしょう。その原動力についても同氏は、「ウォルマートの人たちとよく話をして感じるのは、アマゾンへの強い敵対心です。同時にジェンZ[※5](以下、Z世代)に対する意識がすごく高い。意識の高さとともに自分たちはこの世代へのビジネスが得意ではないという謙虚な認識もあります。そこでスタートアップを買収して、彼ら向けのサービスを作っているのです」と教えてくれました。

同氏が具体例に挙げるのが、ジョイモード[※6]です。商品をレンタルする企業なのですが、ウォルマートはこの企業と提携関係にあります。Z世代はモノを買う意欲があまりなく、既存のブランドへの信仰も少ないという指摘がこれまでにも多くされてきました。そういった対象へのアプローチの一つがこの提携なのです。

クルマがなくては暮らせないといわれるアメリカでも、前田氏のオフィスで働くZ世代には、クルマを所有していない人が数名いるといいます。彼らの発想は借りられるものは借りる、シェアできるものはシェアすればいいというシンプルなもので、所持する必要のないものを買うことは滅多にありません。

そういう考えから、UberやAirbnb[※7]も出てきて業界を破壊する存在にまでなりました。こうした代行、レンタルを提供する会社が発展すると、本来ウォルマートのような小売業者からすればモノが売れなくなって困るわけです。ところがウォルマートは、スタートアップのジョイモードに一緒にやろうと声をかけて、一カ月後にはウォルマート内にジョイモードを出店させてしまいました。

危機意識から来るスピード感が尋常でないほど速い。特に「苦手な」Z世代に対しては、彼らに何が受け入れられるのかを率先して試行錯誤するための仕組みができあがっています。

「結果的に、ジョイモード事業は失敗となり、閉鎖となります。ただし、それがウォルマート社を象徴しているようにも思えます。失敗率の多い、そして自社と競合となり得る事業においても積極的なスタートアップ連携を行う。つまりイノベーションジレンマにとらわれない、オープンイノベーションを積極的に取り込む姿勢が今のウォルマート社の強みと思われます」（前田氏）

一方で中垣氏もウォルマートの柔軟性に同意します。さらに同社のこうした特徴は元々のものであり、つい最近になって変化したというものでもないようです。

「ウォルマートは一九六二年に設立してアマゾンが出てくるまでは小売業の王者でした。単純な店頭販売以外の業態もたくさん持っていて、様々なターゲット層や変化する消費性向に対応して巨大な会社に成長したのです」（中垣氏）

Z世代の台頭でアメリカでは劇的に消費性向が変化していますが、他の小売業者より対応が早いのは、ウォルマートの社風によるものだというわけです。

日本を縛るものは何か

日本でも新宿のマルイが本館1階にb8ta（ベータ、p36参照）を出店させるなど新しい取り組みを展開しています。しかし、アメリカに比べるとその取り組みの遅さを認めざるを得ません。実はb8taは、アメリカでは店舗を閉じるなど苦戦しているにもかかわらず、それが日本ではようやく開店したという状況なのです。

ただ、中垣氏は、日本は良くも悪くも現場によるオペレーション改善を繰り返してきていて、そこのレベルは世界トップと誇っていいといいます。オペレーションを改善しながら、「おもてなし」に代表されるレベルの高い顧客体験を実現してきたのです。

しかしそれがテクノロジー導入の足枷になっているというのが同氏の指摘です。オペレーションが独自のものになっているので、パッケージソフトやＳａａＳなどでまかなえず、自社独自のシステムが必要となるので、最適化されたオリジナルを作ろうとしがちになります。リテールテック市場は日本でも大きいのですが、ほとんどがＳＩ企業によるシステム開発となっています。

先端のテクノロジーに自分たちを合わせるというよりも、どうやって自分たちのオペレーションに組み込むかという発想なのです。これは小売だけでなく日本企業全般にいえることですが、小売業界は特にその傾向が強い。オペレーション自体が国内競争における差別化要因になっているので、仕方がない面もありますが、新しいテクノロジーを一〇〇％活用するには大きなマイナス要因になるのだといいます。

「こうした事情から、日本の小売業はかなり多額のＩＴ投資をしていますが、顧客体験はあまり変化していません。特にアメリカのスタートアップが開発するような、Ｚ世代に刺さる顧客体験を提供できていないのです。なぜかというとスタートアップだと、独自のオペレーションに合わせたカスタマイズをしない。というよりも資金的な問題で、できないからです。カスタマイズしようとすれば、そ

の間に破産してしまいます」(中垣氏)

そうするとカスタマイズをしてくれるSI業者に開発を委託することになりますが、SI業者は仕様に沿って機能を作り込むのが業務となるので、Z世代に受け入れられる顧客体験を必ずしも提案できるわけではないということはおわかりいただけると思います。

そして、そもそものような提案をSI業者に求めるのは本末転倒なのだと同氏は指摘します。本来は小売業者側からこういうことができれば若い世代に受け入れられるから、こういうものを作ってくれというべきですが、オンラインとオフラインが融合した現代において、新しい時代に対応するサービスを既存プレイヤーが生み出すことは簡単ではありません。それが難しいからこそウォルマートは、スタートアップが開発したサービスを買収し受け入れています。日本の小売業者もそのような挑戦をするべきですが、なかなかそうはならないと、同氏は嘆きます。

さらに日本の小売業は、規模(郊外の大型店と駅前や住宅街の小規模店舗)や業態(スーパーとコンビニ)の組み合わせでビジネスを成立させている会社が多く、過去数年はそれで成長を遂げてきました。その結果、eコマースの強化がおざなりになっていて、オンライン化のベースができあがっていません。新しいテクノロジーを乗せていくベースがないため、今回のコロナ禍も現場のオペレーションでなんとか乗り越えている、というのが中垣氏の意見です。

実際にコロナ禍のアメリカでは、ベースがあるので入店予約アプリを作ってソーシャルディスタンスを確保するなどのことが、すぐに実行できました。しかし、日本だと店員が入店整理をするということをやっています。テクノロジーを活用しようと努力するのではなく、現場の人間が努力すればいいという発想がいまだに強いのです。

アメリカにおけるコロナのインパクト

主にアメリカで暮らしている前田氏によれば、同国では消費者の多くが不安感を抱えており、二〇二〇年の中旬にはおよそ二〇％の人がメンタルヘルスに問題を抱え始めているといわれていました。

日本人と比べると衛生への意識が低いイメージのあるアメリカ人ですが、コロナ禍でその大切さに目覚めたと同氏は感じています。店舗に行くのも危険を伴うということで、それまではｅコマースは苦手だと言っていた年配の人も一気にｅコマースへシフトしました。それに伴いＪ・Ｃ・ペニー[※8]のような大型百貨店が破綻したり、ヴィクトリアズ・シークレット[※9]の売却騒動が起こったりしています。

店舗側は、どうやって店員を守りながら安全なオペレーションを行うか真剣に考えなければなりません。その一方で解雇に伴う労働の再配置をどのように行うかとか、人気商品の変化や特定商品の品切れにどう対応するかという悩みも発生しています。こうした数多くの課題に対応するにはテクノロジーが必要だとアメリカ人は思い至ったのだろうと同氏は分析するのです。

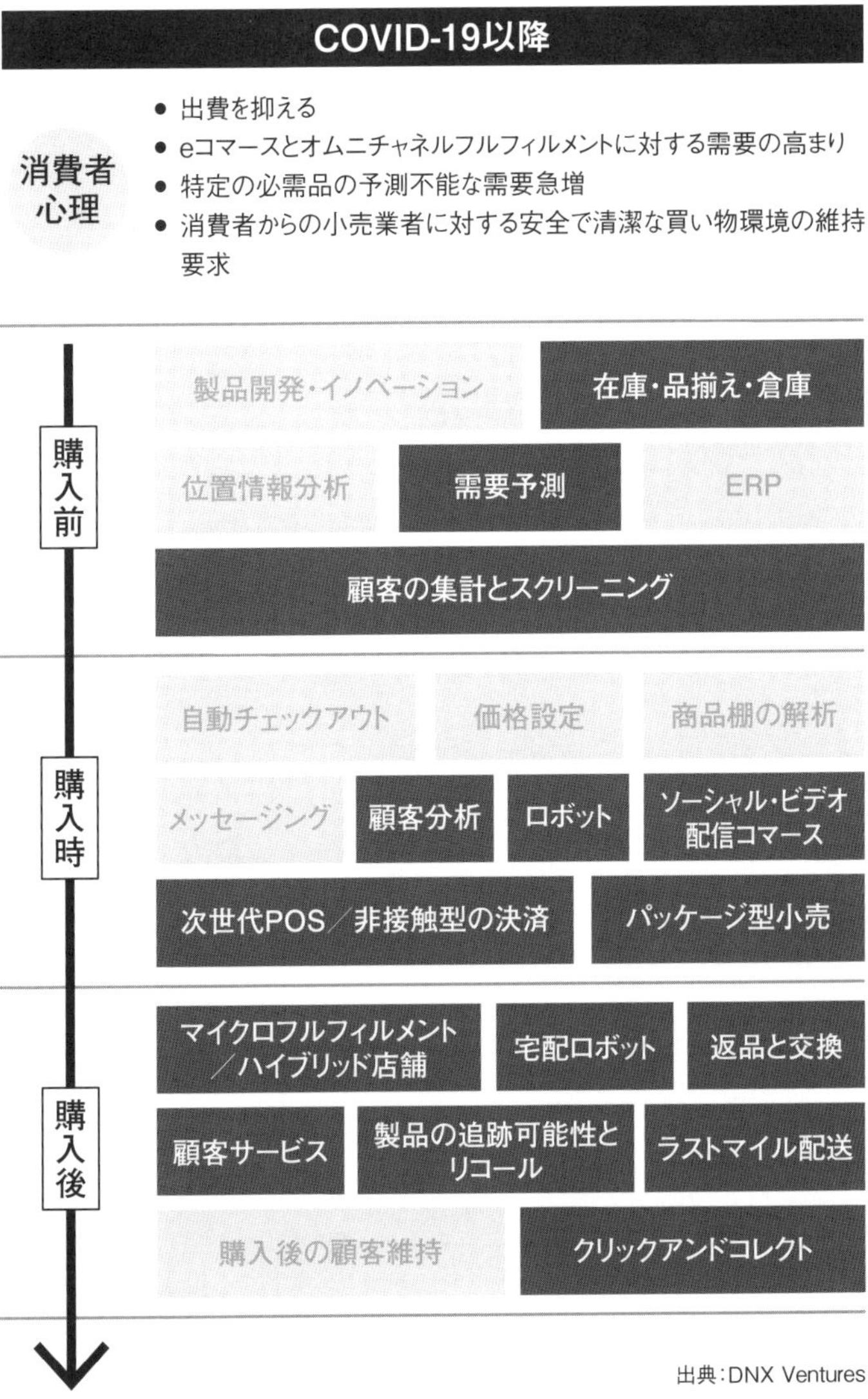

COVID-19以降

消費者心理

- 出費を抑える
- eコマースとオムニチャネルフルフィルメントに対する需要の高まり
- 特定の必需品の予測不能な需要急増
- 消費者からの小売業者に対する安全で清潔な買い物環境の維持要求

購入前

- 製品開発・イノベーション
- 在庫・品揃え・倉庫
- 位置情報分析
- 需要予測
- ERP
- 顧客の集計とスクリーニング

購入時

- 自動チェックアウト
- 価格設定
- 商品棚の解析
- メッセージング
- 顧客分析
- ロボット
- ソーシャル・ビデオ配信コマース
- 次世代POS／非接触型の決済
- パッケージ型小売

購入後

- マイクロフルフィルメント／ハイブリッド店舗
- 宅配ロボット
- 返品と交換
- 顧客サービス
- 製品の追跡可能性とリコール
- ラストマイル配送
- 購入後の顧客維持
- クリックアンドコレクト

出典：DNX Ventures

リテールテックのバリューチェーン

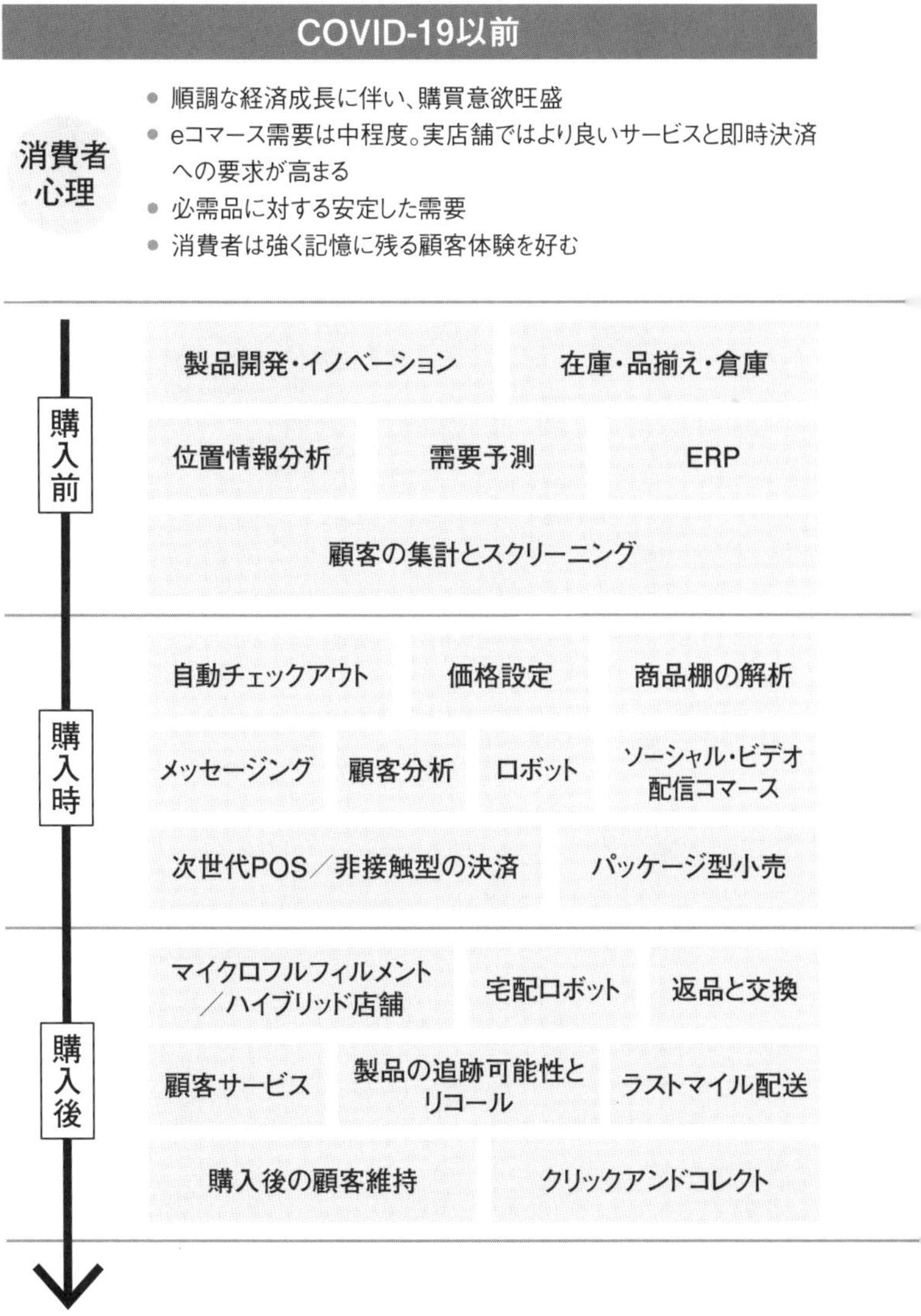

COVID-19以前

消費者心理

- 順調な経済成長に伴い、購買意欲旺盛
- eコマース需要は中程度。実店舗ではより良いサービスと即時決済への要求が高まる
- 必需品に対する安定した需要
- 消費者は強く記憶に残る顧客体験を好む

購入前

製品開発・イノベーション
在庫・品揃え・倉庫
位置情報分析
需要予測
ERP
顧客の集計とスクリーニング

購入時

自動チェックアウト
価格設定
商品棚の解析
メッセージング
顧客分析
ロボット
ソーシャル・ビデオ配信コマース
次世代POS／非接触型の決済
パッケージ型小売

購入後

マイクロフルフィルメント／ハイブリッド店舗
宅配ロボット
返品と交換
顧客サービス
製品の追跡可能性とリコール
ラストマイル配送
購入後の顧客維持
クリックアンドコレクト

図は、コロナの流行によって変化した消費者心理と、それに伴って小売業の人たちが何に注力すべきかを、前田氏が表してくれたものです。

「COVID-19以前」とあるのは、コロナ禍以前に前田氏が小売業の関係者と、今後はこのような技術導入をしていくべきだと挙げていた技術分野です。そして「COVID-19以降」側の濃いBoxは、コロナ禍が発生したことで、実際に注力が進んでいる分野となります。

ただし、「コロナ禍による短期的な需要と、新型コロナウイルスの影響で生活や行動パターン、心理的要素が変わることによる長期的な取り組みを明確に切り分けないといけません」と同氏は指摘します。

たとえば中国では、コロナ禍で人間のデリバリーが困難になったので、ロボットが町中を走り回ってデリバリーするという状態になりました。しかしこれは短期的なもので、コロナ禍が落ち着いて人間のデリバリーが可能になると、人間のほうが安いし正確だし速いということになるのだといいます。そのため、コロナがピークを過ぎたら、ロボットは姿を消してしまいました。

採算性の観点から、短期的なインパクトと長期的なインパクトに切り分けて考えなくてはいけないのでしょう。

物理的な店舗の存在意義

アメリカでは、コロナ禍が収束したあとに、どうすれば物理的な店舗がもっと利益を生み出せるのかを模索する動きが出てきています。

HERO®[※10]という会社が、コロナ禍で注目を浴び始めていることを前田氏は教えてくれました。物理的な店舗にいる店員が顧客にHERO®のスマホやタブレットのコミュニケーションアプリを使って商品の説明をし、販売することを可能とする会社です。

同氏によれば、物理的な店舗を持っている会社の一番の資産が店員だといいます。顧客は、店員が持っている能力や知識・経験を求めて店舗に出向きます。スキーの板を買うのであれば、「自分はこういうタイプのスキーヤーで、レベルはこのぐらい」と説明して、店員から提案してもらいたいと考えます。顧客が店員に相談して購入するというプロセス自体が資産であり、すべてオンラインに移行すればいいというわけではありません。

スニーカーを買うときでも、どれくらいの柔らかさなのか実物で確かめて、どういうデニムと合うのかを店員に聞きたい。しかしウェブ店舗しかないのでは、それはできません。HERO®は、ビデオ会話アプリを使って、ウェブ上ではありますが、店員と直接話せるようにしています。それによって従来のネットショッピングよりも納得感を持って買うことができるのです。店舗にも店員にも利益が分配される仕組みになっているので、極端な場合だと誰一人店舗を訪れることがないのに、店舗の売り上げが上がり、店員にもコミッションを支払う仕組みが可能となります。

少しややこしく感じるかもしれませんが、オフラインの店舗でオンラインの販売をサポートすることで、オフライン側にも利益が上がるという画期的な仕組みです。

コロナ禍をきっかけに出てきましたが、このような形態は今後も続くはずだと同氏は予見します。オンラインとオフラインの融合という点で、可能性に満ちたアプローチだといえるためです。

日本独自のソリューション

一方で日本はどうでしょうか。

中垣氏によれば、日本の小売業も過去数年間、新しいテクノロジーを現場に導入しようと努力してきました。テクノロジーそのものも進歩し、大手を中心に様々なパイロットプロジェクトが実施されています。しかしそれらが、パイロットで終わってしまうことが多かったといいます。日本の市場にどう適用するかという段階で止まってしまうことがほとんどなのです。このことは懸念すべき事案でしょう。

一方、その中でも実装フェーズに入ってきたプロジェクトもあります。中垣氏が挙げてくれたのがFlow Solutions[※11]という会社のサービスです。

同社は小売業を対象に、店舗内での顧客行動の見える化、データ化を複数のセンサーを駆使して行い、データを駆使して顧客それぞれに対応したソリューションを提案します。eコマースの世界では、ウェブサイトに訪問した人たちが購入に至るまでのデータを分析して、サイト内での最適な誘導方法を考えるのがあたりまえです。実際にアマゾンを利用すれば、おすすめに気になる商品が並んでいる。そんな経験に身に覚えがある方も多いのではないでしょうか。

物理的な店舗でも同じように、顧客行動を見える化、データ化し、その行動データを分析することで、最適化されたオペレーションを実現したいと考えることはあたりまえです。しかし、それに対応できる適正価格のソリューションがなかったり、小売業のオペレーションに精通したベンダーがいなかったりという理由でなかなか実現できていませんでした。それを可能にするのがFlow Solutionsの構想だといえます。

同社はまだ小規模な会社ですが、そのソリューションは、トイザラスジャパンやビックカメラ、トリンプ[※12]など大手企業の店舗で、本格導入に近い形で運用されています。このような会社が日本にも出てきているのは大きな一歩だと中垣氏は評価しています。

またデータ分析の分野でも様々な取り組みが行われています。監視カメラから取得したデータを分析したい会社は日本にも数多くありますが、採算性の理由からあまり進んでいませんでした。

ところが、あるスタートアップにおいては、監視カメラにセンサーを取りつけて来店者の体温を測るなど、コロナ対策として新たな取り組みを行っているそうです。これまで「nice to have（あったほうがよい）」と考えられがちでなかなか本格導入にならなかったのが、重要な機能として導入が決まり始めていると中垣氏は聞いているといいます。まずは、コロナ対策で必須となる機能を提供し、そこで導入したシステムに付加機能として顧客分析機能を加えていく。そのような流れが出てきているのです。その結果、データ分析による店舗オペレーションの最適化の実現が現実味を帯びてきます。

ただこうしたデータをマーケティングに活用するためには、個人情報データの扱いがさらにデリケートになってきている今、解決しないといけない課題が多いことも確かです。この問題が解決しない限りは、簡単には進まないとも同氏は考えます。

そして、そもそも日本とアメリカには根本的な違いがあることを教えてくれました。両国を比べた際に、アメリカはいまだに小売市場全体が成長し、オンラインだけでなくオフラインの売り上げも伸びているのに対して、日本はいよいよ飽和状態になっているのです。いわゆるオーバーストア現象です。この問題にどう立ち向かっていくのかというのはリテール業界の大きな課題となります。

市場が拡大している際には、どのように顧客を獲得するかということが重要になりますが、市場が縮小していく際には、どのように既存顧客を抱え込むか、そして同じ売り上げを計上する上でのコストを抑えるかが大事になると同氏は主張します。

そこで紹介したいスタートアップにfavy[※13]という会社があります。同スタートアップは、これまで会員型のレストランやカフェなどを実験的に運営しつつ、飲食店のデジタルマーケティングを支援してきた会社でした。それが二〇二〇年に、キリンと提携すると、キリンがクラフトビールを卸している飲食店全店の顧客を対象にした定額型サービスや同様のモデルを小田急などのデベロッパーとも提携して開始したそうです。

これは、限られた顧客群に月会費を伴う会員となってもらい、囲い込みを試みる新しいビジネスモデルであると中垣氏は評価します。飲食店もブランドも、会員データを用いたマーケティングもできるようになる興味深いモデルなのです。

プライバシーの問題と価値

デジタル時代においてデータの活用は必須事項ですが、個人情報データをマーケティングに使うことができれば、どの企業にとっても大きな利点になることは間違いありません。ただこうしたデータにはプライバシーという問題が絡んできます。そして日本はこの問題に厳しいというイメージを皆さんはお持ちではないでしょうか。

ただ、前田、中垣両氏によれば、この問題には答えにくく、アメリカと比べてもやりやすい部分とそうでない部分があるというのが正しいかもしれない、とのことです。ただこのあたりもコロナ禍で日々変化している問題でもあります。

ここで前田氏が画像分析の例を挙げて説明してくれました。

アメリカやイスラエルで出てきている画像分析の仕組みには様々なパターンがあるそうです。ここ数年で最も話題になったのは、アマゾンGOが採用しているタイプのものでしょう。天井にカメラを設置して、人と商品を同時にかつ、リアルタイムで解析して、決済を済ませることができます。

ただ高価な仕組みなので、決済に使うだけでは採算が合いません。そこで、どの棚の前でどの商品を手にして、どのように悩んで、結果として買ったのかどうかといった顧客の行動データをメーカーに有償で提供しようというアイデアが出てきました。これはアプリケーションとしては完成しつつありますが、現実に提供されるまでにはもう少し時間がかかりそうだと同氏はつけ加えます。

このケースは、マーケティングのデータとして提供する際に、個人情報が見えない形で提供することになるので、プライバシー保護の観点からはあまり問題になりません。

一方でプライバシーの問題になるのは、顔認証に関するデータです。顔認証自体は、コロナ禍で改めて注目されています。前田氏が懇意にしているイスラエルのスタートアップでも、顔認証と連動して、店員と現金やクレジットカードを通じて接触することなく決済するソリューションを開発しているそうです。

シリコンバレーがあるカリフォルニア州は、CCPA[※14]（カリフォルニア州消費者プライバシー法）の制定でもわかるように、プライバシー意識が高い地域で、顔認証にも抵抗感が強い人が多く住んでいます。

ところがコロナで状況は一変しました。店先で現金、クレジットカード、スマホ決済を行うよりも、自動的に顔認証されるほうがより非接触であり便利だということで、このタイプの画像分析なられてもいいと考える人が増えているのです。テクノロジーが人の意識を根本から変えてしまったという点で興味深い出来事です。これもコロナ禍の一つの副産物です。

アマゾンGOの脅威

アマゾンが使っている画像分析用のデバイスは高価で、一店舗で考えると採算が合いません。ですがアマゾンにはアマゾンプライムなどの定額サービスもあり、会社全体で見たら採算が合うと考えられます。

アマゾンは赤字になってもいいから先に多額の投資をして、その後大きく回収するという戦略を取ってきた会社です。したがってアマゾンGOの日本への本格進出というシナリオはあり得るものだと考えられます。そのとき日本の小売業は持ちこたえられるのでしょうか。

多くの方が不安を感じることと思いますが、中垣氏は「簡単には負けないだろう」と言ってくれました。その根拠として、トライアルというITを駆使した経営戦略で有名な小売業者を、中垣氏は例に挙げました。日本で最もリテールテックの進んだ会社の一つで、二〇二〇年には千葉県に、関東で初めてスマートトレジカートを導入した店舗を出店しています。[※15]

その店舗では至る所にカメラが設置されていて、ショッピングカートにはタブレット機器がついています。タブレットにはバーコードリーダーがあり、画像認識ではなくバーコードを読み取る方式で決済します。生鮮食品にはバーコードがつけられないものもありますが、それは画面から選んで指で押すだけです。極めてわかりやすい操作画面だといえるでしょう。

立地的には千葉県郊外の高速道路を降りてすぐのところにある店舗なので、買い物客の多くは年配の方だそうです。情報リテラシーが高いとはいいにくい世代ですが、スマートレジカートを使いこなしています。決済に関しては、クレジットカードやPayPayなどではなく、トライアル独自のプリペイドカードをその場で発行して、入金チャージしてもらっています。クレジットカードやPayPayに抵抗感のある高齢者もSuicaと同方式のプリペイドカードには馴染みがあるのです。

一方で、このことは利用者がどこまで知っているのかわからない部分もあるそうですが、実際にはかなりの量の個人データが、企業側に提供されているのだといいます。顧客の購入行動を蓄積することで、今後の展開につなげるのです。

ユーザーインタフェースに関する日本向けのローカライズは大変優れており、これは外資系の企業には難しいことです。小売向けのＳａａＳに関しても、「テクノロジーだけを見ればアメリカのものが最高だけど、日本の現場オペレーションには最適化されていないため、日本のＳａａＳに負けている例がある」と中垣氏は指摘します。

トライアルは小売業者でありながら、「ＩＴ会社」でもあるという日本では珍しい例です。日本の小売にとって最適なカスタマイズができる会社ですので、このような会社は外資系企業が進出してきても立ち向かっていけると考えられます。

海外企業との戦い方を考える

アマゾンＧＯでも、トライアルのようなスマートレジカートで決済する方式の店舗が出てきています。しかしやはりアマゾンＧＯらしいのは、尋常ではない数のカメラを設置している点でしょう。これはある程度採算を度外視できるアマゾンというバックボーンがあるからできることで、スタートアップにこれと同じものを開発しろと言っても資金面で絶対に不可能なのです。

したがってアマゾンがまったく採算を度外視して、アマゾンＧＯの仕組みを外販すれば、他の企業は追随できないと考えられます。しかし実際にはアマゾンもアマゾンＧＯの店舗数は当初の計画どおりには伸びておらず、正解を見つけ出していないので、一強になる可能性は低い。これは前田氏の予測です。

一方で、不気味なのは中国企業だと同氏はいいます。中国はディープラーニング技術ではアメリカと並ぶ最先進国なので、大量のデータを持っています。しかもアメリカと違ってプライバシー保護の意識が薄いので、他国ではとてもできないようなデータの使い方が可能なのです。そのため、これまでにない精度のＡＩを作り出す可能性を秘めています。

アメリカと中国からの脅威は恐ろしいものです。ただ、こうした状況でも、日本に「可能性がないわけではありません」と中垣氏は言います。たとえば、ＪＲ高輪ゲートウェイ駅に[※16]TOUCH TO GOという無人決済コンビニがあることはご存知でしょうか。

一度訪れれば、カメラの数などからかなりのコストがかかっていることが推測できますが、決済もＳｕｉｃａ前提と考えれば様々な可能性を感じることができる技術です。現在はクレジットカードにも対応しましたが、駅という特性もあってSuicaの利用者が多い。Suicaは履歴を見ればその人の行動がわかってしまうというように、これが活用できれば大きく成長することは間違いないのだと、中垣氏は唱えます。

前述したように、日本の小売業は店舗オペレーションが独自の発展を遂げており、そのためリテールテックへの対応が遅れているというマイナス面があります。しかしこうした独自の発展は、外資系に対する参入障壁にもなっているのです。トライアルのように、リテールテックを日本の風土に合うようにカスタマイズしている例も実際に存在しています。

世界の最先端テクノロジーと日本の店舗オペレーションをどのように融合していくのか。この答えにこそ、日本の小売業の将来がかかっているのではないでしょうか。

本章のおわりに

リテールテックの分野で日本が戦うために必要なことは強烈な危機意識だと考えています。世界的に見ても、モノを売る仕事がデジタルなしではあり得ないという世の中になっているのです。日本特有の文化である、「おもてなし」や、「ホスピタリティ」というものも、時には必要でしょう。しかし同時に現在十代、二十代のこれからのお客さんはどんなことを考えているかというのを考えると、自然とデジタルを使っていく以外に道はないことがわかると思います。

ウォルマートがマイクロソフトと一緒にTikTokを買収するという話がありました。そうした発想はこれまでの常識で考えるとまず出てこないものです。映像を通じてモノを買うということがあたりまえになっている現代だからこそ生まれた発想なのです。

お二人のお話を通して、モノそれ自体と同等にどういった形でモノを売るのか。つまりコトという部分を真剣に考える時代なのだと改めて考えさせられました。日本の小売業は独自の陳列方法など、外国にはないすばらしいノウハウを持っています。その隠れた職人芸を、どうやってデジタルと融合させるのかが日本の未来にとって大切なことなのです。

※1　サプライチェーン
日本語では供給連鎖と訳される。製品の原材料・部品の調達などから、製造・在庫管理・配送・販売・消費に至るまでの一連の流れを指す。

※2　フルフィルメント
通信販売やＥＣにおける受注から、配送までに至る一連の業務プロセス。商品が届いたあとに行える問い合わせ業務なども含めて使われることもある。

※3　ＰＯＳデータ
レジで商品が販売されたときに記録されるデータ。購入品や、購入者の分析に利用することが可能で、効果的な販売につなげるために活用される。

※4　ＤｔｏＣブランド
Direct to Consumer の略。自社で企画・製造した商品を仲介業者を介さずに自社のＥＣサイトから直接販売するネットビジネス。

※5　ジェンZ
Z世代。一般的には一九九六年から二〇一二年に生まれた世代を指す。高速インターネット、モバイル、SNSの発展とともに育った世代。米国においては人口の四分の一を占め、影響力のある購買層として認知される。二〇二一年現在、十代後半から二十代前半の人々がこの中心として認知され、二〇〇〇年以降に成人を迎えた世代全体を指すミレニアル世代と対比して、真のデジタルネイティブとも呼ばれる。

※6　ジョイモード
二〇一五年に設立。米カリフォルニア州を拠点に商品のレンタル業を営むスタートアップ企業。扱う商品はキャンプ用品・家電・ゲームなど多岐にわたる。

※7　Airbnb
二〇〇八年に設立。米カリフォルニア州に拠点を置く。宿泊施設・民宿を貸し出すウェブサイトを運営。民泊の浸透などもあり、世界的な発展を遂げた。二〇二一年現在、世界一九一以上の国と地域で使用される。

※8　J・C・ペニー
一九〇二年、米ワイオミング州に設立された大手百貨チェーン。一九九八年には、いち早くオンラインストアを展開するなど、積極的にデジタル化を推進。一時はウォルマートと並んで業界をけん引した。しかし、新型コロナウイルスに伴う休業が決め手となり、二〇二〇年五月には連邦倒産法第十一章の適用を申請して経営破綻した。

※9　ヴィクトリアズ・シークレット

一九七七年に設立。米オハイオ州に拠点を置くファッションメーカー。大手アパレルチェーンのエル・ブランズ傘下で、婦人服、下着、香水、美容用品などを取り扱っている。二〇二〇年には、投資会社のシカモア・パートナーズに自社株式の五五%を売却する方針を明かしたが、コロナウイルスの対応をめぐって売却中止となった。

※10　HERO®

二〇一五年に英ロンドンで設立された企業。またはその企業が提供するアプリ。テキストメッセージ・チャット・ビデオを使って実店舗とオンラインショッピング中の消費者をつなぐサービスを提供する。外出せずとも店員の意見が聞けるとあって、コロナ禍で一気に拡大した。

※11　Flow Solutions

二〇〇六年に設立。神奈川県横浜市に拠点を置くITコンサルタント企業。小売業を対象にデータを用いたソリューションを提供する。データを統合・分析・可視化・予測することで、顧客それぞれに合った対応が可能。

※12　トリンプ

一八八六年にドイツで設立。現在はスイスに拠点を置き、女性用下着メーカーとして世界最大規模を誇る企業として知られる。

※13　favy

二〇一五年に設立。東京都新宿区に拠点を置くマーケティング企業。飲食市場に特化したソリューションを提供し、同社のホームページでは全国の飲食店を紹介するなどの活動も行っている。

※14　CCPA
カリフォルニア州消費者プライバシー法の略。米カリフォルニア州で二〇二〇年一月から適用が開始された。カリフォルニア州の住民に対して、プライバシー保護を定めた州法で、住民の個人情報を利用する事業者に対して適正管理の義務を定めたもの。

※15　トライアル
一九八一年に設立。福岡県福岡市に拠点を置く総合企業。メインはスーパーセンターを中心にした小売業だが、他にもＩＴ・物流・商品開発など事業は多岐にわたる。ＩＴを駆使した展開を特徴とし、二〇一八年には福岡の店舗を中心に、スマートレジカート・スマホアプリ決済を導入して話題を集めた。

※16　TOUCH TO GO
二〇一九年に東京都港区に設立された企業、および同企業がＪＲ高輪ゲートウェイ駅構内に展開する無人ＡＩ決済コンビニ。コンビニはＪＲ東日本スタートアップとの協力で運営されており、全国規模での今後の展開を目指している。

第四章

フィンテック データが創る 新しい経済

時代遅れとなった現金

フィンテック（Fintech）とは、ファイナンスとテクノロジーの合成語で、金融とＩＴを掛け合わせた新しいサービスやソリューションを指します。主に英米と中国で発展し、日本ではまだその浸透が海外に比べて進んでいないといわれています。

日本ではキャッシュレス決済さえ普及しておらず、相変わらず月末等の支払い日になると銀行の支店に人が溢れているような状況です。一方中国では現金を使う人はほとんどおらず、ＱＲコードによる決済が進んでいます。

アメリカでも、ミレニアル世代を中心にスマホアプリでのオンライン投資が盛んですが、日本の若者でスマホアプリを使って投資している人は少数派です。

日本がフィンテックで遅れている原因は、経営層がデジタルに積極的でないなど他の分野と同様の理由が挙げられます。一方で、英米と中国を比べてみると、フィンテック先進国である両者の間には明確な違いがあるようです。

現金依存ともいうべき文化をはじめとした、日本の古い体制を見直すことは私たちに数々のメリットをもたらします。シリコンバレーを中心としたフィンテックベンチャー金融事情に詳しい北村充崇（きたむらみちたか）氏のお話から、この現状を打破するための道すじが見えてきました。

北村充崇　*Michitaka Kitamura*

DNX Ventures マネージング・パートナー＆COO。オーストラリア・カーティン大学商学部卒、ボストン大学経済学部修士。2000年にシリコンバレーに移住し、日本大手VCの日本アジア投資(JAIC)のシリコンバレー拠点立ち上げメンバーに参画。以来シリコンバレーでのベンチャー投資を続け、40社以上に出資。投資先は、LiveRamp(Axciom買収)、Xactly(IPO)、Fortinet(IPO)、Swell(アップル買収)など。2011年に日米ベンチャーキャピタルのDraper Nexus(現DNX Ventures)を立ち上げた。

フィンテックの三つのカテゴリ

フィンテックという言葉自体は二〇〇三年頃からあります。ですが、ビジネスとしては二〇〇八年に起きたリーマンショック[※1]以降に普及していったというのが一般的です。

「GAFAなどシリコンバレーを中心として出てきたテクノロジーは、いつの間にかすべての人間の生活に関わる存在になりました。そして、金融分野でもこれらの企業が同様に影響力を強めています。歴史的な恐慌によって金融の自由化・規制緩和が進んだことで、デジタルに強い企業も金融業に参入してきたのです。こうした企業が参画すれば、テクノロジーと金融を融合させようという発想が生まれるのは当然のことでしょう。こうしたGAFAの姿勢もあって個人向けのフィンテックは急速に広まっていきました」（北村氏）

さらに規制緩和に付随して行われた低金利政策[※2]がこの傾向に拍車をかけました。リーマンショック以降、多くの国の政府がこの政策を進めた結果、世界中で金が大量に余ってしまいます。金融機関としては融資の申し込みを待つのではなく、積極的に融資先を探さなければならない事態となり、世の中にさらなる変化が訪れたのです。

効率良く融資先を探すためには何が必要でしょうか。同氏によれば、これまでの結果に裏打ちされたデータだといいます。データがあれば個人と企業の信頼度や成長性もわかるので、融資の申し込みや審査を簡単かつ正確にできるのです。

　こうした理由からデータを用いたサービスが求められ、そのためにはＡＩ技術も必要になるのでデジタルに強いスタートアップが次々と参入してきたといいます。この傾向が広がっていき、フィンテックの事業者が急激に増えていきます。そして彼らが、既存の金融機関を支援するという新しい体制も生まれました。

　デジタル企業が、個人向けのサービスとして新規に金融業界に参入するか、既存の金融業者に向けた業務サービスを始めるか、という二つの方面からフィンテックを急速に推し進めたのです。

　そして、北村氏が強調することは、どちらのビジネスでも重要なものはデータだということです。現代では金の価値が下がっているのに対して、データの価値が上がっています。データを活用して新規の融資先を探したり、投資先を探したりするなど、フィンテックとデータは切っても切り離せません。資金を持っている者ではなく、データを持っている者が成長する世界だといえます。

　膨大なデータを持つアマゾンやSquare[※3]などの企業が、フィンテックの流れの中で金融業に参入することは、極めて理にかなったことだといえるでしょう。

　またこうした流れとは別に、もう一つの大きなカテゴリとして暗号資産（仮想通貨）が挙げられます。ブロックチェーンを応用したこの技術は、世界初の仮想通貨であるビットコインの運用開始が二〇〇九年でしたが、現在まで継続的に注目されてきました。ここ数年その発展は目覚ましく、「メインストリームに近いところまで来ています」と北村氏は認めます。

アメリカの銀行が抱いた危機感

アマゾンをはじめとするデジタル企業の金融業界への参入に対抗するため、アメリカのメガバンクは軒並みシリコンバレーにオフィスを構えるようになりました。様々なスタートアップと協業して新しい金融サービスを作ろうと努力したのです。

アメリカのメガバンクは、たとえばアマゾンに対してどのような危機感を抱いていたのでしょうか。

北村氏が挙げてくれたのがアマゾンキャッシュや、アマゾンカードの脅威です。銀行口座やクレジットカードを持たない人でも、ネット通販を可能とするこれらのサービスなら預金の代わりにすることが可能となります。両サービスの普及は、個人から集めた預金を事業者に貸し出して利息を稼ぐという、銀行のビジネスモデルを否定するものです。

「世界的な低金利の中、アマゾンポイントを金利とみなせば、預金するよりアマゾンキャッシュに換えておいたほうがお得かもしれません。事実、アメリカでは銀行口座を持たない人々が三千三百五十万世帯もあり、そこにアマゾンはどんどん食い込んでいます」(北村氏)

さらに法人向け融資サービスのアマゾンレンディング[※4]も恐ろしい存在だと続けました。従来ではメガバンクの融資先になるには、スタートアップだと与信が不足していましたが、現在はｅコマースの発展によって目を見張る成長曲線を描く企業が数多く登場しています。

そしてそんな急速な成長を支えるには資金調達が必要とあって、法人向けの融資もアマゾンをはじめとするＥＣ業者が担うようになりました。

「オンライン業界にいる人たちのほうが、オンラインで伸びる会社の見極めが上手だというのは当然でしょう。メガバンクが融資をしないような会社でも、ＥＣ業者なら貸すというケースが大変多くあるのです。そうなるとスタートアップが大きくなってもＥＣ業者から借りることになり、その頃にはメガバンクが入っていく余地がなくなってしまいます」（北村氏）

しかもここに、アマゾンとは別のデジタル企業も融資の提案をしてきます。こうした新しく参入する金融業者の成長も著しく、たとえばPayPal[※5]はメガバンクの時価総額をすでに抜くほどの企業です。投資家は時価総額の高い企業に期待してさらに投資するので、一度伸びてしまえばPayPalのような会社はますます成長することでしょう。

これらの状況を知れば、アメリカの銀行が抱えたフィンテックに対するマインドを感じていただけると思います。こうして国の金融業界全体が、大きくデジタル化に進んでいくことになりました。

さらに、実はこうした傾向はアメリカに限ったものではなく、ヨーロッパ、特にイギリスではアメリカよりもさらにフィンテックが進んでいることを北村氏は指摘します。国を挙げてフィンテックの聖地にしようと、積極的な活動を行っているのです。TransferWise[※6]の国際送金などがその代表例でしょう。ロンドンの国際金融におけるポジションが相対的に下がっているため、それならばフィンテックにかけようという発想になりました。イギリスには強い危機意識があります。それが国家総ぐるみの計画にいきついたのです。

専業の銀行がなくなる

私は、銀行業は他業種から参入したほうが実は有利なのではないかと考えています。近い将来、専業の銀行はなくなってしまうのではないかとすら思えます。

この考えをぶつけたところ、「銀行にとって一番の資産は大量の金を持っていることでした。その資産で、特に地銀などは地元の会社を発展させて、その経営者たちの情報ネットワークから得た情報を強みとしてきたのです。そのためオンラインで情報を集められるようになれば、人的ネットワークによる情報に頼っている伝統的な銀行は立ち行かなくなるでしょう」と北村氏の同意を得られました。

他産業から参入するほうが有利である理由も、伝統的な銀行が立ち行かなくなる理由も、まったく同じことに起因します。金融業にとって最も大切なものは情報であり、情報の質を担保するのは最終的にはデータの量だからです。データの質という点では、個人から集めたデータのほうが高いかもしれませんが、圧倒的なデータ量とそれを高速に分析するテクノロジーを持った者には、少量のデータを持つ者ではかないません。

特に金融業においては情報が命であることを北村氏は主張します。「データは二十一世紀の石油である」という言葉が最もマッチしているのが、この業界です。

金を借りたい人に、借りやすい利息で、適正な金額を貸して、しかも貸し倒れが少ない。これが金融業の理想です。そうでなくても現代では金が余っているわけですから、貸し渋ったり、高金利で機会損失したりしていてはどんどん弱体化してしまいます。

そのため、オンラインで集めた大量のデータを持っているGAFAや携帯キャリアであれば、有利に戦いを進められることがおわかりいただけると思います。年収や預金残高が少なくて大手銀行が貸し渋る相手でも、GAFAや携帯キャリアは行動履歴から、その人が信用できるかどうかを客観的に判断できるのです。低利ではあっても多額の金を貸し出して、ほぼ一〇〇%回収できる。金融業の理想形を実現することができます。金を貸して金利を稼ぐという伝統的な銀行のビジネスモデルに関していえば、勝敗は誰の目にも明らかでしょう。

オフラインの王者

コロナ禍の影響で日本企業も本格的にDXに取り組み始めました。金融業も例外ではありません。たとえばSBIホールディングス[※7]が地銀と提携して様々な取り組みを始めています。しかし生半可なDXへの取り組みでは生き残れないので、決死の覚悟が必要です。どのような取り組みが必要でしょうか。

たとえば北村氏は、みずほ銀行がソフトバンクと提携してJ. Score[※8]を提供していることを、携帯キャリアのデータと銀行のノウハウが良い形でミックスされているとして高く評価しています。

しかし同氏はこうした取り組みがあっても、ゴールドマン・サックスなどのスピード感を見てしまうと比較にならないといいます。

「彼らはアップルやアマゾンとの提携も戦略的ですが、その一方でマーカス[※9]という独自のオンライン銀行を作って金を集めます。そして、その金を多くのスタートアップに投資・融資するだけではなく、自ら新しいサービスを提供しているのです。私たちのフィンテック投資先の競合としてマーカスの名が真っ先に挙がるぐらい、積極的に動いています。巨大なゴールドマン・サックス本体が直接乗り出してくるのではなく、出島のようなマーカスを作り、その機動力で次々と新しいチャレンジを仕掛け

てくる姿はさすがだと感じます」（北村氏）

ゴールドマン・サックスは銀行業界の王者といえる存在ですが、それでもDXの波に対応してきました。これはリテール業界の王者ウォルマートと似ています。アメリカではオフラインの世界王者が、オンラインにも積極的に取り組んでいるのです。

たとえばゴールドマン・サックスのトップは、シリコンバレーに何回も来て、即断即決でスタートアップやGAFAとの事業提携の話を進めていきます。

なぜオフラインの王者がここまで積極的かと北村氏に尋ねると「危機意識の違いだ」と教えてくれました。アメリカではネットフリックスが出てきた途端にブロックバスター[※10]が消え去ったように、デジタル化による業界破壊のスピードが日本の数倍も速いのです。それを見てきた人たちであれば、自分の業界がいつ破壊されてもおかしくないと危惧することは自然です。

日本でも政府主導で金融の自由化・規制緩和が進んではいますが、アメリカと比較すると金融業はまだまだ規制産業として国から守られています。日本のメガバンクにゴールドマン・サックスほどの危機感はなく、シリコンバレーには来ていても、深く踏み込んで新しいサービスを作り上げようとしている銀行は見当たりません。この点から同氏は日本の将来を懸念しています。

貯蓄離れは加速する

　金融業界の「破壊者」といえば、ソーシャルゲームのような投資アプリを提供して急成長しているロビンフッド[※11]が挙げられます。同社の主要ターゲットは、比較的収入が高く、これから投資に挑戦したいというミレニアル世代です。

　ロビンフッドのアプリは、若い世代に親しみのあるSNSやモバイルゲームのようなユーザーインタフェースを備えています。新たな情報があるとどんどんプッシュ通知が送られてくるのです。そのため一日に十回以上もアプリを開く人もいるほどで、極めて習慣性が高い。ちなみに業種はやや違いますが、日本のあるオンライン銀行のアプリ利用頻度の目標が一週間に一回程度なので、ロビンフッドのアプリの利用頻度は桁外れといえます。

　一ドルから売買できる少額投資も提供されているのですが、その習慣性の高さから、最近では多額の損害を出して自殺した人も出て、社会問題にもなっています。問題はありますが、創立からわずか七年でそれほどの影響力を持つようになったという見方もできるでしょう。こうしたアイデアがなぜ日本で生まれないのかを尋ねると、次の答えが返ってきました。

「日本では様々な規制があるため、ロビンフッドのような会社を作るのは難しいかもしれません。もちろん規制に負けずにチャレンジしている日本企業はありますし、私たちも支援をしています。とはいえ、顧客がつかなければ伸びないわけで、消費者が新しいサービスにチャレンジするスピード感が日米で違うことも、日本でなかなかフィンテックが伸びてこなかった原因かもしれません」（北村氏）

日本には他国に比べても厳重な規制が存在することは、ビジネスにおいて足枷と見ることができるでしょう。

ただ、日本のこうした傾向に変化が訪れつつあることを同氏は教えてくれました。

これまでは日本人の国民性として、貯金はするが投資はしない、もっといえば貯金は美徳だが投資は賭け事（悪事）のような感覚がありました。しかし低金利の時代がずっと続き、銀行に金を預けても全然増えないということに、人々は気づき始めます。年金もあまり当てにならないので、老後の生活資金をどうやって得るかは日本人全体の課題となったのです。そのため株式投資など、定期預金よりもリターンの良い金融商品を買ったほうが得だと考える人が、若年層だけでなく五十代ぐらいの人にも増えました。

また、日本は全国各地に地方銀行があり、都銀・地銀に関係なく至る所にＡＴＭが存在します。しかし今後キャッシュレスの仕組みが広がれば、「ＡＴＭはもはや必要ありません」と北村氏は言います。そもそも銀行はＡＴＭの維持管理に莫大なコストをかけており、土地代の高い駅前の一等地に支店を出し、その中にＡＴＭを設置することがすでに経営上の負担になっています。

オンライン化・デジタル化に馴染めない人のために支店を出し、ＡＴＭを設置しているといいますが、本音では支店もＡＴＭも減らしたいのではないか、同氏はこのように考えます。

アメリカではずいぶん前から支店もＡＴＭも減少傾向にありました。それがコロナ禍で加速しています。日本でもコロナをきっかけに支店の閉鎖が加速することは、ある程度予測がつくことなのです。

実際、投資とキャッシュレスに関して日本は遅れていましたが、少しずつ順応もしてきました。消費税増税によるキャッシュレス決済キャンペーンで、スーパーやコンビニの支払いにクレジットカードやスマホを使う人がかなり増えているというデータがあります。

キャッシュレス決済とオンライン投資はフィンテックでも大きな割合を占めるものですから、日本でもようやく本格普及が始まるのではないかと北村氏は予測します。しかし日本の金融機関が変わらないのであれば、海外のフィンテック企業に日本人の金が吸い取られていくことになりかねないということは、頭に入れるべき事項です。

規制による弊害

日本の金融機関はまだまだ規制に守られています。その責任は、経営者にあるのかもしれません。

たとえば日本の銀行の頭取は、シリコンバレーにめったにやってきません。一方でゴールドマン・サックスの頭取や経営者はシリコンバレーに頻繁に足を運び、スタートアップとの連携を即断即決しています。地理的な事情があるとはいえ、日本の銀行は大丈夫だろうかと心配になる状況だと北村氏はいいます。

日本企業は将来頭取や役員となる行員を、ニューヨークには送り込んでいます。ニューヨークは確かに金融では世界で一番重要な地点です。しかし「データは二十一世紀の石油」といわれ、DXの重要性が喧伝されている時代に、金融業がシリコンバレーを軽視するのはいかがなものでしょうか。

「金融においてロンドンやニューヨークの重要性は変わりませんが、世界の株価のトップがGAFAである時代、シリコンバレーはデータでもテクノロジーでも世界の中心を担っています。なので、そことどう付き合うかは金融に限らず最重要なことです」（北村氏）

地理的な事情と英語が苦手だということの二つは、日本企業にとって大きなマイナス要素になっています。

アメリカで起こっている「破壊」を対岸の火事だと思っている日本の経営者が多いのではないでしょうか。火の粉が日本に来ることはなく、なんとか逃げ切れると思っているのかもしれません。あるいは日本には規制があるからなんとかなると考えているのでしょうが、自ら変革していかない限りは、いつか飲み込まれることは避けられません。

英語の文献を日本語に翻訳するだけの仕事が成り立つほど、日本は英語が苦手な国です。翻訳している間のタイムラグももったいないですし、翻訳を介して歪んで伝わることも多いので、できるだけ英語の情報には直接当たるのがいいはずです。

この点から、イギリスをはじめとするヨーロッパ諸国やカナダ、オーストラリアなど英語圏の国々に対して日本が不利なのはいうまでもありません。それだけではなくインドはもちろん、中国や東南アジア諸国などアジア諸国に比べても日本は窮地にいるのです。

しかし不利だからと手をこまねいていてはジリ貧になるばかりです。優秀な金融パーソンの英語力を強化し、シリコンバレーに駐在させて、もっと貪欲に情報収集と人脈形成に努めなければ明日はありません。

SDGsを利用する

SDGs[※12]（Sustainable Development Goals、持続可能な開発目標）へのコミットが、ビジネスにおいても重要になってきました。二〇一九年に、アマゾンが配送用EV（電気自動車）を十万台規模で導入することが話題になりましたが、現時点では従来のガソリン車やハイブリッド車で配送するほうがコスト面で圧倒的に有利です。アマゾンは目先の利益を捨ててでもSDGsにコミットすることが今後のビジネスを考える上で、価値があると判断したのでしょう。

このようにSDGsをビジネスに組み込むという動きはアマゾンだけでなく、世界中の先端企業に広がっていることを北村氏は指摘します。重要なのは本業に組み込むということです。日本企業はCSR（企業の社会的責任）についてもそうですが、SDGsを業績に余裕があるときに寄付活動的に取り組むものだと考えている向きがあります。

フィンテックが広がったことで、金融の非中央集権化が進んでいます。これまで蚊帳の外にいた人たちが、次々と金融業に参入してきていることは前述しました。レンディング・クラブ[※13]はいまやアメリカ最大の個人向けローン企業ですが、プロジェクトの中身を見てそれに金を出したい人が支援する、クラウドファンディングに近い業態です。「金融の民主化」といえる状況が進展しており、個人が個人に直接金を貸したり、債権を移転したりすることなどが自由にできるようになってきていることを、同氏は教えてくれました。

「こうした背景の中で、今まで日の当たらなかったSDGsに関連するプロジェクトにも支援が集まりやすくなっています。同じような内容であれば、よりSDGsにコミットしたほうを選びたいというのは、ある意味で当然のことなのかもしれません。ソーシャルメディアの浸透もその傾向に拍車をかけています」（北村氏）

フィンテックが発展することで、SDGsに対する認識が広まりました。その結果、SDGsそのものの発展にもつながったのです。ですが逆にいうと、日本でなかなかSDGsが進まないのは、フインテックの進展が遅いからだと考えることもできます。世界的にＳＤＧｓがビジネスで重要性を増す中、これは見直すべき事態ではないでしょうか。

フィンテックにおけるＢｔｏＢ

フィンテックの分野で今後特に注目する必要がある領域を北村氏に尋ねました。同氏の答えは、ＢｔｏＢの分野だといいます。ＢｔｏＣ分野のフィンテックは、すでに多くのプレイヤーが出てきて、規模も大きくなっているのだといいます。これを追いかけるように、やや遅れてＢｔｏＢが進み始めました。

実はアメリカにも日本と似たところがあって、会社に請求書が紙で送られてくれば、チェックした小切手を郵送して支払うという、アナログな文化がこれまでは普通でした。ところがコロナで人々が自宅で仕事をするようになると、小切手帳のある会社に行くのも面倒です。紙の小切手にはウイルスがついているのではないかと嫌がられるようにもなりました。こうして、オンライン決済が一気に広がります。

北村氏の投資先でもオンライン決済が広まっているそうです。個人向けのフィンテックが広まれば、次は法人へのレンディングもオンラインでいいのではないかということになり、ＢｔｏＢ分野でさらに広がっていきます。
「そこに仮想通貨やその基盤テクノロジーであるブロックチェーンが関連してくるのは間違いありません。また新たなキラーテクノロジーが出てくる可能性ももちろん考えられます」（北村氏）

ある国の危機は別の国のチャンス

アメリカやヨーロッパは危機意識が強く、そのためにフィンテックも進んでいると述べました。それでは中国やインドはどうでしょうか。

まず中国人やインド人は、日本人とは違って、シリコンバレーのコミュニティの中に深く入り込んでいることを、意識していただきたいと北村氏は言います。多くの中国人やインド人がシリコンバレーに住んでおり、彼らの人的ネットワークはシリコンバレーの中心的なものの一つになっています。すでに中国人やインド人を抜きにしてシリコンバレーは語れないのです。

そして同氏は、その中にも様々なタイプの人がいることを説明してくれました。シリコンバレーが地元だという意識でビジネスに取り組む人もいれば、本国との連携でビジネスを行う人もいます。そしてどうやってアイデアを本国に持って帰ろうかと考えている人もいて、さらには、逆に本国から持って来られるものはないかと考えている人もいるのです。いずれにしても自国に技術を持ち帰ろうというばかりの日本に比べれば、彼らのシリコンバレーにおけるコミュニティへの関わり方はレベルが違います。

そして「中国もインドも成長中の国家で、これからの伸び代のほうが大きい。ここが二十世紀から世界をリードしてきた欧米との大きな違いでしょう」と言います。

英米のような危機意識というよりは、国を発展させよう、自分も成功しようというチャレンジ精神で取り組んでいる側面が強いのでしょう。このマインドで動いているので、当然ながら勢いがあります。

一方の日本はどうでしょうか。一九九〇年前後に世界でも最先進国だった時代があるため、危機意識もなければチャレンジ精神もないというどっちつかずの状態になっています。

日本はデジタルに関しては遅れた国だという現状を認識し、もっと謙虚になって一から出直すつもりで取り組むべきです。

「激しく反発を買う言い方かもしれませんが、デジタル化できずにゾンビのような状態になっている会社を、存続させるための銀行はもういらないはずです」(北村氏)

これは私も同じ考えです。未来に望みの薄い企業を維持するのではなく、これから新しいことを成し遂げようという元気のある起業家やベンチャー企業に、資金を調達する仕組みを作っていかなければならないはずです。

そして中国に限れば、彼らがシリコンバレーに深く入り込んでいる原因は、もう一つあるといいます。それは中国の経済圏とアメリカの経済圏が拮抗し、すでに相交わることが難しくなっているという情勢です。アメリカにGAFAがあるように、中国にはBATH[※14]があります。中国はGAFAを排除する方向で発展してきましたが、今度はアメリカが中国企業の締め出しを始めたので、二つの経済圏は今後もお互い排他的になっていくことが予想されるのです。

フィンテックに関しても同様というよりも、金が直接絡みますからもっと先鋭的な競争が行われていくはずです。「アメリカでロビンフッドのような新しい金融サービスが出てきましたが、中国でも同じようなサービスが必ず出てきます」と北村氏は断言します。

中国は自らの経済圏を支えるためにも、シリコンバレーに深く入り込んで、最新で役に立つ情報を手に入れ続けなければならないのです。ゆえに今後も中国は独自路線で発展を続けていくことが予想できます。

日本の技術をグローバルスタンダードにするためには

金融に関していえば、日本にもSuicaのようなすばらしいテクノロジー&ビジネスモデルがあります。しかし、ハードウェアのテクノロジーとしては世界レベルの一歩先を進んでいましたが、デジタルへの応用が進みませんでした。

これはi-mode[※15]やQRコードで起こった問題と似ています。特にQRコードに関しては、キャッシュレス決済への応用で中国に先を越されてしまいました。こういう惜しい技術が日本にはたくさんあるのです。

せっかくの技術をグローバルスタンダードにしていくためには、日本企業の意識変革が必要です。その方法を北村氏に問いました。

「頭取や社長といったトップ中のトップが、もっとシリコンバレーを直に見て、アメリカと日本の差を肌で認識し、危機感を持って会社の方向性を考えるようになる必要があります」（北村氏）

経営陣が自ら新しいテクノロジーを使わないことも問題といえるでしょう。テクノロジーに理解がある人をもっと取締役に登用する必要があります。

金融に関していえば、情報セキュリティこそ最重要のトピックであると同氏はいいます。そのため世界中の金融業者は、シリコンバレーに来て最先端の情報を自ら集め、最先端のセキュリティ製品をテストする、ということを実際にやっています。目的を達成するためにITエンジニアだって、シリコンバレーに連れてくるのです。

ところが、日本の金融機関がITエンジニアを派遣することはほとんどありません。それは第二章で倉林氏が指摘してくれたように、ITを過度にアウトソーシングしてしまっているからです。一方海外の金融機関は、ＩＴエンジニアを自社に抱え、シリコンバレーにもＩＴ部隊を置いています。彼らが直接シリコンバレーで技術を学び、自社システムとして実装するという流れができています。

日本の情報システム部門の人たちがシリコンバレーで情報を集めてきて、それをアウトソーシング先に伝えるのでは、スピードという面でまったく勝ち目がないことはおわかりいただけるはずです。世界は加速度的に変化する時代です。さらに、情報システム部門はＩＴ企画やプロジェクトマネージメントに特化して実装に疎いので、伝わる情報もすぐに使える実戦的なものではないという状況も起こり得ます。

業種は違いますが、ニューヨーク・タイムズのトップが、これからは出版社でもなく新聞社でもなくＩＴの会社になると公言しているという例を、同氏は紹介しました。事実、すでに同社では、オンラインの収入がオフラインを超えました。

世の中がそれほど変わる中、金融機関も自分たちはＩＴの会社だという認識が必要なことは当然です。ＩＴサービスの一環として金融サービスを提供していくという方向に、頭を切り替えなければなりません。

「金融があってのＩＴではなく、ＩＴがあっての金融という考え方です。金融こそ情報が最も重要な産業です。コンピュータの歴史も金融があってこそ発展してきた面があります。金融とＩＴは表裏一体。切っても切り離せない関係なのです」（北村氏）

本章のおわりに

二〇二〇年にはグーグルが銀行と提携することや保険業に参入することを伝えるニュースがありました。北村氏が説明してくれたように、金融業＝データという見方ができます。そのため、莫大なデータを持った企業が参入してしまうと、既存の会社は負けてしまう可能性が高いのです。

金融というのは世界的に見ればもはやインフラです。電力会社のように、どこにでもサービスを提供していくという話に当然なってきます。ところがインフラになる準備ができているところと、できていないところがある。これは危惧すべき事態ではないでしょうか。

手数料で利益を得るというビジネスは難しくなっています。データを通じて決済し、最新の金融サービスを提供して、データでさらにより良いサービスを生んでいくというサイクルに持っていくのが、今の時代の戦い方です。単にＤＸだからといってソフトウェアを導入するだけでは不十分です。その先で、データを活用するサイクルをどう作っていくかというところを見据えなければなりません。

日本は人口構造上、金融資産の七割以上を高齢者が保有しています。そのため金融業が考えるお客さんというのは高齢者を指してしまうことが多い。結果、ややこしいスマホアプリは提供しにくいと考えてしまいます。

しかし長期的に考えれば、数十年後に金融資産は次の世代に移っています。今から対策をしていかなければならないはずです。通貨自体も中国を中心にデジタルへの取り組みが本格化し、日本でもデジタル通貨の実証実験を二〇二一年中に行うと日本銀行が表明しています。

短期的に見ればDXをせずに乗り切れる部分もあるかもしれませんが、長期的に見れば、間違いなくデジタル化を推進しなかった企業は淘汰されることになります。そうならないためにも、北村氏のお話にあった方策を一刻も早く検討・実践するべきなのです。

※1　リーマンショック
二〇〇八年に、アメリカの投資銀行であるリーマン・ブラザーズ・ホールディングスが経営破綻したことをきっかけに、連鎖的に世界規模の金融危機が発生した事象。日経平均株価も大きく下落し、直近高値から約六〇%もの下落率を記録した。

※2　低金利政策
国内の消費活動が落ち込んでいる際に、景気刺激策として基準貸付利率や預金準備率の引き下げを行い、金利を下げる政策。預金の減少や貸出の増加を促し、市場に多くの金が回ることを目的とする。

※3　Square
二〇〇九年設立。米カリフォルニア州に拠点を置き、主にモバイル決済を事業とする企業。日本では二〇一三年に三井住友フィナンシャルグループと提携し、サービスを開始した。

※4　アマゾンレンディング

アマゾンが提供する融資サービスの名称。アマゾン・マーケットプレイスに参加している法人販売事業者を対象とし、初回申し込みから最短で五営業日で融資が得られる。額も最大五千万円までと高額融資が可能。

※5　PayPal

米カリフォルニア州に拠点を置く、電子メールアカウントとインターネットを利用した決済サービスを提供する企業。利用者は全世界で三億人以上にもおよぶ。

※6　TransferWise

二〇一一年に創業し、ＰｔｏＰ送金サービスを提供する企業。利用者同士のマッチングを図ることで少額手数料による国際送金を可能とする。二〇一八年には、イングランド銀行（イギリスの中央銀行）の決済口座を、非銀行系決済サービス会社へ開放した初の企業となった。

※7　SBIホールディングス

東京都港区に拠点を置く日本の金融持株会社。元々ソフトバンクグループの金融関連企業として設立されたが、二〇〇六年に離脱。国内ネット証券の最大手企業として知られる。

※8　J. Score

二〇一六年に、みずほ銀行がソフトバンクと合弁で設立した日本の貸金業者。フィンテックを活用した無店舗型の消費者金融サービスなどを提供する。

※9　マーカス
二〇一六年にゴールドマン・サックスが新設した銀行サービス。オンラインでの融資と貯蓄などを提供する。これまでの同社が富裕層向けの投資サービスを提供していたのに対して、本サービスは一般消費者向けに提供されるという点も話題を集めた。

※10　ブロックバスター
一九八五年に創設され、二〇一三年に倒産したアメリカのレンタルビデオチェーン。最盛期には全米で三千店舗以上を展開したが、動画配信サービスの普及により倒産に追い込まれた。

※11　ロビンフッド
二〇一三年に設立したアメリカのフィンテック企業、および同社が提供するアプリの名称。手数料無料で株取引を行うことが可能で、現在では暗号資産も同じく無料で取引ができる。ゲーム感覚で取引ができるとして、全米の特に若年層の間でブームとなった。

※12　SDGs
二〇〇一年に策定、二〇一五年には国連サミットで採択された二〇三〇年までに持続可能で、より良い世界を目指すための国際開発目標。「持続可能な開発目標」と訳される。大きく十七のゴールが存在し、その内容は貧困問題の解消や環境の保全など多岐にわたる。

※13　レンディング・クラブ
二〇〇六年に設立。米カリフォルニア州に拠点を置き、個人向けのローンを提供する企業。二〇一五年には全世界で

の貸付金額の合計が二兆円に到達。同分野で最大規模の企業として業界をけん引する。

※14 BATH

中国のIT産業をけん引する四大企業の総称。バイドゥ（Baidu）、アリババ（Alibaba）、テンセント（Tencent）、ファーウェイ（Huawei）の頭文字を取ったもの。GAFAに匹敵しうる企業群ともいわれ、その影響力を年々強めている。

※15 i-mode

二〇〇六年にNTTドコモが提供を開始した、同社の対応携帯電話においてキャリアメールの送受信やウェブページ閲覧などを可能にした世界初の携帯電話IP接続サービス。スマホの普及などの影響を受けて、二〇二六年のサービス終了が決定している。

第　五　章

ロボティクス
人と機械の共生

世界最先端の分野

ここまでにＳａａＳ、リテールテック、フィンテックといったアメリカなど他の先進諸国ではすでにあたりまえになっている分野について、日本との差を見てきました。本章ではロボティクス、人工衛星および自動運転といった、アメリカなどでもまだまだ先端分野といえる領域について考察したいと思います。

ロボティクスは、日本語に訳すと「ロボット工学」です。辞書では「制御工学を中心に、センサー技術・機械機構学などを総合して、ロボットの設計・製作および運転に関する研究を行う」（デジタル大辞泉）とまとめられています。そして、こうした学問をビジネスに応用することを指す言葉としても我々は認知しています。

ロボティクスも人工衛星も自動運転もすべて最先端分野の話なので、専門家による説明が求められます。そこで私のビジネスパートナーであり、これらの技術にもビジネスにも精通するＱ・モティワラ氏を招きました。彼はロボティクス関連の企業への投資に強みを持つだけでなく、クアルコム[※1]で日韓の３Ｇ技術の導入に携わるなど、世界最先端の工学の一端を担ってきた人物です。

Q・モティワラ　*Q Motiwala*

DNX Ventures マネージング・パートナー。ムンバイ大学卒業後、バージニアテック大学で電気工学修士号、カリフォルニア大学ロサンゼルス校でMBAを取得。1994年に米・クアルコムに入社し、11年間、韓国、日本での3Gの導入に従事。その後、アーリーステージ・テクノロジー・スタートアップ2社（内1社は日本拠点）に関わる。ノートブックや自動車へのワイヤレス組み込みのイニシアチブの指導などに従事。ハードテック・ディープサイエンス分野への投資に強みを持ち、Nauto、Iceye、Movandi、Diligent Robotics、Macrometaにおいては社外取締役を務める。

ロボットがコロナの危機を救う

コロナの影響でアメリカが大きく変わろうとしていることは、これまでの章でも説明してきました。そして日本よりも被害が甚大なため、人から人への感染を防ぎたいというニーズは日本よりも深刻でしょう。

そこで登場するのがロボティクスです。人が集まらないようにしたり、人が触らないようにしたりするための技術的解決策が強く求められた結果だといえます。自宅や病院に留まらず、空港やショッピングモールといった場所も変化が求められました。これらの場所に共通なことは、すべて生活において必要な空間だということです。

「元々、病院で医師や看護師が不足している問題もあり、何らかの自動化が必要だというニーズはありました。この点は製造業や流通業なども同様です。そのため、人員だけに頼るのは得策ではなくなり、なるべく人の手だけで行う作業は削減が必要だと考えられてきました。そこへコロナがやってきた結果、あらゆるものにできるだけ人が触れないようにすることまで求められます。コロナ対策と、人員不足の二重攻撃です。その両方が引き金となって、ロボティクスの活用事例が急速に増えています」（モティワラ氏）

人の手を介さず、自動化を進めるということは、あたりまえですが生産性向上につながります。しかし、コロナ前は、投資対効果を立証するのが困難だったと同氏はいいます。

たとえばヘルスケアの場合では、人件費よりもロボットのコストのほうが高いと考えられていたので、わざわざ費用をかけようという発想は生まれません。しかしコロナ禍によりヘルスケア従事者の命が危険にさらされることになると、危険と隣り合わせの環境に身を置いているのに安い報酬で働きたくないという人が急増しました。結果として人の代わりに、使えるところではロボットを使おうということになり、ヘルスケアにおけるロボティクスが一気に進展することになったのです。

二〇二一年にロボットの普及は加速する

ロボティクスの専門家であるモティワラ氏によれば、何かのロボット自動化作業を実用化したいと考えた場合、六カ月間のデータを取得して効果測定をすることが一般的なのだといいます。いわゆるパイロットプロジェクトです。その効果測定の中には、人間とそのロボットがどのタスクで協力すべきか、そしてロボットが行うどのタスクに人間の管理が必要となるかを評価することも含まれます。

先ほどモティワラ氏が挙げた、病院・空港・ショッピングモール・製造業といった場所や業界においては、コロナ以降でロボティクス関連のパイロットプロジェクトの実施が容易だそうです。効果測定に必要な六カ月間に及ぶデータ取得の機会が広くなったのです。したがって二〇二一年には、こうした効果測定を終えた技術が続々と実社会に登場することになるでしょう、とモティワラ氏は予見します。この傾向はアメリカだけでなく、日本やドイツなどでも同様です。

ここまではコロナによる影響ですが、前述したようにロボティクスのニーズは以前からありました。少子高齢化、そして労働力人口上における熟練度の減少という深刻な問題があるためです。熟練労働人口が今後も減少していくことが予想される、これは日本に限らず欧米諸国でも共通の課題なのです。そのため、今後十年から二十年といった長い目で見ても、ロボティクスの浸透は不可避です。

「私たちロボティクス関係者も、さらなる自動化を進めるつもりです」とモティワラ氏が話す所以です。

日本製ロボットの強みと弱点

モティワラ氏は、日本でも多くのスタートアップを支援し、関わりを持っています。日本のロボティクスに対する率直な意見を聞いてみました。

「ロボティクスにおける日本企業の強みは質・量ともに豊富な知的財産です。東京大学をはじめとして、多くのロボット工学の教授がいて、研究室もあります。ハードウェアやモーションプランニング（タスクに応じてロボットの動きをスムーズにするための技術）の技術はとてもすばらしい。一方でソフトウェアについての弱点があります」（モティワラ氏）

日本ではロボットというと組み込み型のソフトウェアをイメージする人が多く、実際に発達しているのもこの技術です。しかし、世界的に見ればクラウドからのリモート操作が主流になりつつあります。最近はＳａａＳでロボットの遠隔操作環境を提供するベンチャーも増えてきました。

ロボットに取りつけたセンサーからデータを収集し、そのデータで学習したＡＩでロボットに付加価値をつけるということを考えれば、クラウドのほうが圧倒的に有利なことがわかると思います。一方で組み込み型ソフトには学習する術がありません。豊富なデータが溢れる現代では、時代遅れの方法と考えられるでしょう。特に、検査や監視といった分野ではロボット＋ＡＩによる自動化で価値が出るところですが、日本の取り組みは遅れているということを同氏は心配します。

クラウドを活用してＡＩを作り、それでロボットに付加価値をつけることが日本にはできないのです。しかも日本の技術者は、それを弱点とも思っていない。このことは直ちに認識を改める必要があるのではないでしょうか。

しかも弱点は一つだけではありません。仕事の仕方が日本独自なので、海外に展開することが難しいのです。これは独自の発展を遂げて、国内特有の技術ばかりが浸透したリテールテック分野と同じような問題でしょう。

モティワラ氏によれば、UI[※2]（ユーザーインタフェース）やUX[※3]（ユーザー体験）が他国と違いすぎるのだといいます。そうなるとアメリカに拡大するのは当然ながら難しいですし、比較的文化が近そうな東南アジアでの拡大でさえ非常に困難です。日本以外の国はUIやUXが共有できる国ばかりなので、たとえばシンガポールのエンジニアは、日本よりもはるかに容易に他の東南アジア諸国や欧米に対して価値のある提案ができます。

ただソフトウェアに関する弱点は、時間が解決してくれるのではないかというのがモティワラ氏の見方です。たとえばSaaSでも、マーケティングやセールスの分野については、遅れを取り戻そうとする試みが見られるようになりました。

この十年ほどにおける日本の大企業での成功事例がSaaSの活用を促進するのだといいます。同分野では多数の企業が問題を抱えていることに間違いはありませんが、最近は楽天やグリー、Sansanなどが優秀なソフトウェア技術者、UXデザイナーを多数輩出しています。

ソフトウェアを使うほうも作るほうも、国際レベルの企業が登場していけば日本の弱点も改善されるでしょう。これがモティワラ氏の意見です。第二章でSaaSの遅れを見てきましたが、これが改善される日が来ればソフトウェアの弱点も一気に縮まるはずなのです。

「これらの企業が発展しつつある理由は、海外から多くのエンジニアを取り込み、また海外に多くセールスパーソンを抱えるようになったためです。したがって、彼らが今後海外にロボティクスを展開しようと考えるのであれば、今よりずっと簡単にやり遂げることができます。日本で発展した独自のソフトや技術も、世界のスタンダードに触れれば、次第に世界標準へと近づいていくのではないでしょうか」（モティワラ氏）

一方で、強みであるはずのハードウェア企業は、ソフトウェア側の企業と比べて、海外進出に消極的なのではないかと同氏は懸念します。ロボティクスのハードウェア関連では二〇二〇年の時点で、ソニーが世界四位、パナソニックが世界五位です。しかしこの二社の国際的な存在感が希薄なのです。

本書でここまで見てきた他の分野と同様で、幹部クラスが海外に出ていって、先端技術を持つスタートアップなどと協業するための動きをしていないことが問題だといいます。こうした状況が続けば、日本のハードウェアは次第に後れを取ってしまうことになるでしょう。このソフトウェア会社とハードウェア会社の危機感の違いから、今後逆転現象が起こっても不思議ではないかもしれません。

アメリカのヘルスケア問題

ロボティクスの今後の発展を占うために、現在アメリカで起こっている医療現場での取り組みをモティワラ氏が紹介してくれました。この分野で実際にどのような目的でロボットが使用されているのかを知れば、他分野でもロボットに求められていることがわかるはずです。

アメリカのＡＩ企業・Diligent Robotics[※4]が開発したMoxiというロボットが、実際にコロナ禍の医療現場で活躍しています。Moxiは一つ腕のロボットで、病院での医師や看護師の業務の効率化といった、極めて付加価値の高い支援をすることを目的に運用されています。

少なくともアメリカの医療では手術が最大の収益源だと同氏はいいます。そのため医師や看護師はどれだけ手術に時間をかけるのかが大切になってきますが、人手不足やコロナの影響で、それに集中ができないという状況が起こりました。

看護師には、こなさなければならないタスクが数多くあります。定期的な検温や血圧測定などはもちろん、血液やその他の体液サンプルを患者から採取して専門機関に送る、食事ができない患者に対して食事・水分・点滴を調達する、といったように数えれば切りがありません。

こうした業務の一部を担い、看護師が患者に注力するための環境を作るのがMoxiの目的です。このロボットは、電子カルテの記録、医療器具やサンプルの収集と配達といった作業が可能で、従来看護師が行ってきたおよそ三〇％のタスクを負担することができるのだといいます。単純な作業でも人間が実施している以上、誤りが生じて二十分から三十分の遅延が生まれるということも珍しくはありません。そこでMoxiなら前もって実行手順を定義しておくことで、こうした遅延を防ぐことも可能なのです。

「この考え方はロボティクスの基本的なもので、人間の仕事をロボットに置き換えるというよりは、人間を効率的に動かすことに目的があります」（モティワラ氏）

アメリカでは過去十年間で看護師が不足しています。そもそも看護学校に通う人が減っていて、移民により人口は増えているのですが、教育の問題があって、移民たちに看護学校に通うだけの知識が身についていません。今後十年、二十年のスパンで考えるとこの問題はさらに深刻化するでしょう。

そこにコロナ禍で看護師の消耗が激しくなった上、補充も利かない状況になりました。否応なく抜本的に効率化を図る必要が出てきて、そのニーズにぴったりとはまったのがロボティクスだったと同氏は説明します。

日本ではなんとか医療崩壊を避けようとしながら新型コロナに対応してきました。しかしまだ脅威が去る気配はありません。それ以前に少子高齢化や地方都市の限界化など看護師不足に陥る原因が至る所にあり、状況はアメリカと似通っています。したがって、ロボティクスによる医療の効率化はアメリカだけでなく、日本にとっても極めて価値のあることだといえるでしょう。投資家として私もモティワラ氏も非常に注目している理由です。

そして「ロボットと看護師の協業をどう進めていくかという課題もありますが、もう一つ。ロボットが患者とどう向き合うかという課題もあります。そこで、ヒューマン・ロボット・インタフェースが重要になります」とモティワラ氏は続けました。

たとえば看護師が他の業務に専念するための技術として、病院内の回診補助をロボットに任せるという技術が実際に発展しているといいます。しかし単なる機械では、患者を快適にすることはできません。そして緊急事態が発生しても、ロボットが患者に衝突したり、患者が通れないように廊下を塞いだりすることがあってはならないのです。したがって、仕事を自動化するだけがロボットに求められるすべてではないことがわかると思います。業務遂行能力だけではなく、患者とのやり取りや安全の確保についても考える必要があるのです。

そのためにロボットを作る上では、以下の三つを心がける必要があるとモティワラ氏は主張します。

①人間とのコミュニケーション機能を考えること。顔の表情を作ったり、あるいは手を握る、手を振るなどの動作を組み込んだりといった技術。人間がロボットを危険視することがあってはならず、親しみやすい存在にする必要がある。

②ロボットは人に近接して動作をする必要があることを忘れてはいけないということ。実際にロボットが人間に危害を及ぼさないよう、安全面に配慮することが重要。不測の事態に対応できるシステムをあらかじめ、準備しなければいけない。

③前述したように看護師を置き換えることではなく看護師を最大限に効率的に医療に従事させることが目的であることを意識すること。①、②を遵守しても患者からすればロボットだけでは不安が残る。そのため、あくまでロボットは看護師と協業して動く存在であることを忘れては

いけない。

以上はヘルスケア業界だけではなく、ロボットを作る上であらゆる業界に共通する考え方です。

不測の事態における責任問題

日本では多くの企業がロボットによる事故の責任を心配しています。事故をどのように防ぎ、仮に事故が起こった場合に被害を最小限にするにはどうしたらいいのでしょうか。この問いはロボティクスにおいて永遠の課題だといえるでしょう。モティワラ氏はこれに対して、結局は人の監視が必要だと答えてくれました。

ロボットの重要な機能はリモート操作です。どこまで遅延を許せるかという問題もありますが、世界中の至る所からロボットを遠隔操作し、動作を監視することができるように設計することが最善であることは間違いないのだと、同氏はいいます。海外のロボットを国内から操作することもあり得ますし、逆に海外の会社に委託して国内のロボットを操作してもらうこともあり得ます。遠隔地の操作を別の遠隔地に引き継ぐことも時には求められるでしょう。

遠隔操作というと読者の方はコントローラーをテレビにつないで、ゲームのように操作する状況を想像するのではないでしょうか。しかし現実はそう単純ではなく、ロボットは立体空間を移動します。

そのため、VR（仮想現実）やジョイスティック[※5]といった物理的なデバイスを介して、安全にロボットを動かしつつ、何かが動かなくなってしまうような状況を回避しなければなりません。

たとえば病院で使うロボットが、突然停止してしまったら命に関わることもあります。工場やプラントなどでも同様です。人命に関わるがゆえに、ロボティクスは完璧性が求められる領域なのです。

「最初はロボット一台に一人の操作者がつきっきりになる必要があるかもしれません。運用を重ねて自信がつけば、二台のロボットに一人の操作者、いずれは四台に一人という方向への進歩を、私たちロボティクスの専門家は目指しています」（モティワラ氏）

人工衛星に関する三つのトレンド

続いて、人工衛星の分野に話を進めましょう。この分野は三つの理由から最もホットなビジネスの一つであるとモティワラ氏は指摘します。

一つ目は、人工衛星に関わるコストがどんどん安くなっていることです。衛星を作るコストも打ち上げるコストも数年前に比べると格段に下がっており、二〇一七年にはスペースX[※6]のイーロン・マスク[※7]が宇宙への物資輸送を従来の百分の一のコストで可能にすると発言して、話題を集めたことも記憶に新しいと思います。こうした傾向は今後も進んでいくことが予想されます。

二つ目は、現在多くのスタートアップが、彼らのビジネスを衛星コンステレーション[※8]の観点で考えているということです。これは、自分たちは単機能の衛星を飛ばして、他のスタートアップと衛星群を形成して協力しながら、システム的な目的を果たせばいいという考え方だそうです。宇宙空間の撮影には多数の光学ズームカメラが必要ですが、その一つでいい。あるいは様々な波長のセンサーが必要ですが、そのうちの一つでいい――こういった考え方で比較的参入が容易だといいます。

また砂漠や山間部、海洋など人口密度の低い場所に5Gの中継局を作るよりも、衛星を使って通信するほうが効率的だ、という考えが出てくることも当然です。そうなると個別の衛星よりも衛星群のほうが広い範囲をカバーできるということになるでしょう。

そして三つ目は、衛星群を効果的に配置するためのインフラストラクチャの重要性が増していることです。このようなインフラを実現するためには、もっと多様なロケットが必要ですし、それぞれに関わるコストをさらに削減する必要があります。衛星に燃料を補給するサービスが必要な場合もありますし、様々なタイプの光通信を行わなければなりません。軌道上での移動や、低軌道から静止軌道への移動が必要な場合もあります。

人工衛星にかかるコストの低下、単機能の小型衛星から可能な事業への取り組みやすさ、衛星コンステレーションに必要なインフラへの需要。この三つが組み合わさっているがゆえに、宇宙開発ビジネスがトレンドとなっているのだとモティワラ氏はいいます。

ホットビジネスの技術的課題

このように注目を集める宇宙開発ビジネスですが、モティワラ氏は人工衛星に関する技術的課題も指摘してくれました。

衛星群の目的が何であれ、そこでは膨大なデータが収集されています。そしてそのデータは、基本的に地球にある研究施設などに送信されなければなりません。

「宇宙空間と地球の間にケーブルを敷くわけにもいかないので、その膨大なデータは無線で送られることになります。今ある技術でいえば、レーザーを通じて高周波電波か光通信で送信されることになります」（モティワラ氏）

しかし、静止衛星以外の低軌道衛星は常に動いており、地球も同じく常に動いているため、衛星と地球の距離も位置も一定ではありません。ですから何も策を打たないのであれば、衛星から地上局が見える限られた時間内に、より多くのデータを送る必要があるのだといいます。

それを解決するためにモティワラ氏が提案する考えは、空間に中継局を作成して通信をリレーするという手段です。そして問題は、どの方式でリレーするかです。レーザーの場合は、天候に影響されるという欠点もあります。高周波電波の場合はテレビやラジオ放送や他の無線通信サービスに悪影響を与えてはいけない、という点にも注意が必要でしょう。このことから、最終的にはレーザー光線と高周波電波の組み合わせを活用した中継方法が採択される可能性が高いのだといいます。

しかしこれは今後三年間で答えが出る話ではないそうです。十年から二十年をかけて解決する課題だとモティワラ氏は考えます。この問題を解決する技術が生まれれば、世界的な注目を集めることはまず間違いありません。

自動運転とスマートシティ

ロボティクスとロケット分野に続き、もう一つの先端分野であるのが自動運転です。そして、それに関わるスマートシティ[※9]の動向についてもモティワラ氏は教えてくれました。

同氏の意見では、スマートシティに関しては、ベンチャーやスタートアップが顧客を見つけることが困難だということです。特にコロナ禍で多くの都市が予算不足の現在ではますます難しいといいます。

いくつかの大企業がなんとかスマートシティのプロジェクトに関わろうとしていますが、うまくいっていないのが現状です。有名なのはグーグルのカナダ・トロント市での取り組みでしょうか。しかしグーグルのような大企業でも予算的な困難を抱え、結局中止になりました。グーグルは現在自動運転の技術開発に集中しています。

そして、自動運転の実現を心から望んでいるのは、UberやLyft[※10]のようなライドシェア企業だと同氏は指摘します。彼らにとっては運転手の人件費が最大のコストで、それを削減することが即座に利益につながるためです。ですがそれもうまくいかないのが現状のようです。たとえばUberはUber ATG[※11]という子会社で無人運転や空飛ぶ自動車の開発に取り組んでいました。しかしコロナ禍の影響もあってコアビジネスが苦境に立ってしまうと、大きな投資ができずに二〇二〇年十二月にはアマゾンが出資する自動運転車のスタートアップAuroraに買収されてしまいました。

予算以外に、自動運転やスマートシティがなかなか進展しないもう一つの理由は、政府の承認や規制緩和が思うように早く進まないことです。これは自動車だけでなくドローンでも問題になりました。

したがってスマートシティ構想も、自動運転の公道での実現も二年から三年では達成されないのではないか、とモティワラ氏は考えています。そして同氏が予見する現実的な方向性は、「ラストワンマイル」です。市街地の最後の一〇〇メートルを届けることや、ＥＣ業者の中央倉庫から小さな倉庫への配送などの実現を指します。今後数年間はこのような範囲を絞った投資をするべきではないかと私も思います。

モティワラ氏の話を聞いて、アマゾンがロボット物流システムを開発したキバ・システムズ[※12]を買収した理由に思い当たりました。倉庫内を巨大なルンバのような自走ロボットが動き回って在庫をピッキングするシステムです。アマゾンはラストワンマイルに絞った取り組みがしたいのです。

GMの子会社で自動運転車を開発しているGM[※13]クルーズが、シェアリングサービス用のCruise Origin[※14]を発表し、早期に量産体制に入るとプレスリリースしました。しかしモティワラ氏は、これについても二、三年では自動運転も難しいという意見です。

テスラは自動タクシーを実現するといっています。モティワラ氏も私もテスラのクルマを持っていて、自動運転のアップデートは今後も予定されています。古いタイプだとコンピュータのスペックが追いつかないので、新しいコンピュータにアップデートすることで常に最新の技術を使用できることがテスラの特徴の一つです。

ただ快適なテスラのクルマではありますが、現段階の自動運転に関しては、標識を認識したり赤信号で止まったりできるといったレベルです。交差点を曲がるのもまだまだ難しいので、テスラが自動運転を実現できるといっても、それはまだ先のことだと思うのです。

ですが固定された経路であれば、自動運転のみで通行ができる可能性はあるかもしれないとモティワラ氏はいいます。ただ、バスなどのように人を乗せるサービスになってしまうと、この技術でも難しく、安全面の不安もあるので技術を政府や自治体に買ってもらうことが困難ではないかと続けました。公共事業に関しては収益化できるまでに時間がかかる上に、そこにコロナ禍もあるので実現はまだ先のことでしょう。

タクシーのように人を乗せるのは難しいとしても、前述したラストワンマイルや高速道路でのトラック自動運転など物流なら規制も少なく、事故があっても被害は少ない。今後はこちらの利用が、まず先に起こるのではないかと考えられるのです。

日本文化に根づくクルマへの幻想

日本の自動車メーカーは、クルマを運転するということに愛着が強く、これまではそれが自動車開発という意味では良い面に働いていました。ユーザーも運転が好きで、快適な操作性や運転性能を求めてきました。

しかし自動運転時代になり、それが逆に日本の自動車メーカーの弱みになっています。クルマは人が運転するものという発想がどうしても抜けないので、自動運転について研究していても、その成果を安全で快適な運転という方向で新車に取り入れることに夢中になってしまうのです。

一方でCruise Originを発表したGMなどアメリカやドイツの自動車メーカーはマインドチェンジが進んでいて、自動運転へと舵を切っています。

日本の自動車メーカーはシニア、すなわち六十代・七十代の人たちが牛耳っているので、染みついてしまったクルマへの愛着を変えることは難しいのかもしれません。一方で今の二十代〜三十代の人たちは、そもそもクルマを所有したことがない人が多く、アプリでタクシーを呼んだり、シェアカーを予約したりすればいいという感覚です。テスラなどは他の作業をしながら乗れるので、それを経験したら、従来のクルマには戻れないのではないかと思います。

「日本の場合も若い人のマインドは変わりつつあるのですから、自動車メーカーも若い人の感性を取り入れる必要があるはずです。早期にマインドチェンジを果たさなければ、気づいたときには大変な事態になっていたという状況に追い込まれてしまいます。かつて自動車生産数で世界一を誇った日本ですが、いつまでも同じ幻想をいだいていられる日は長くありません」（モティワラ氏）

本章のおわりに

ロボットが仕事を奪うという誤った認識が日本には浸透しています。奪うのではなくて、本来の仕事に集中できる環境を整備することがロボティクスに求められる付加価値です。今現在は人間味がないという不安・不満もあると思います。しかし、これからの日本は労働人口が減っていくことは避けられません。それを補完する上で必要不可欠な技術となることは間違いないでしょう。

それに大胆な投資をしないというのはもったいないことです。コロナで非接触が必要なときに、ロボットを使えていないというのはある意味で異常事態でした。確かに日本はロボットアームなどの技術は強いですが、一番の肝はその中のソフトウェアであることをモティワラ氏も指摘しています。画像認識やセンサー認識といった人工知能なども取り入れる必要があるのです。

日本は元々製造業やロボットが得意だったはずです。しかし、そこに人工知能が必要になったときに弱みが露呈してしまいました。ソフトウェアも積極的に取り入れる、日本国内になければ外から持ってくる、これくらいの気概でこの分野に取り組むべきではないかと、同氏のお話を聞いて感じました。

また、衛星も小型のものがどんどん飛んでいて、混雑してきているビジネスです。こうしたものはインフラを取った技術がその後も有利なポジションを得ます。

日本もロケットを飛ばしていますが、長期的な目で見れば研究開発費など政府が投入をするべき部分もあります。インターネットも最初はアメリカの軍事的利用から始まって世界に広まりました。使わせてもらう立場になるのか、自分たちの技術が入っていくのか、この点で未来は大きく変わります。

そして自動運転もこれから先、技術はどんどん進化します。ただこれは、一気にではなく徐々に進んでいる技術なので、日本からすると投資先の話に過ぎないと考えている方が、まだ多いのではないでしょうか。GMは子会社のGM・クルーズと日本のホンダと共に二〇二一年中には日本での自動運転サービスの技術実証を開始すると表明しています。しかし本来は日本に上陸する前に、今現在どれほどの水準に到達しているのかを知る必要があるはずです。

ＵＣバークレーのキャンパスでは、学生たちが物を運搬することを目的に自動運転のクルマが走っています。大学のキャンパスだと法規制がないので、試しにやってみると結構使えるじゃないかという話になります。

日本はこうした経験が不足しています。ただ日本が体験することを増やせば、物事は前に進むのではないかというのが私の考えです。ロボティクス・衛星・自動運転はまだまだ発展途上の分野であることをモティワラ氏は説明してくれました。まずはどれだけ世界が進んでいるかを体験する。他分野にもいえることですが、これが何よりも大切なことなのではないでしょうか。

※１　クアルコム
一九八五年に設立。米カリフォルニア州に拠点を置き、通信技術に関する半導体を設計・開発する企業。３Ｇ携帯電話の通信技術開発や、市場をほぼ独占するＣＤＭＡ携帯電話用チップの技術などで知られる。

※２　ＵＩ（ユーザーインタフェース）
コンピュータとその機械の利用者の間で、情報をやり取りするための入出力部分。またはその入出力の方法を指す。

※３　ＵＸ（ユーザー体験）
利用者が製品やサービスを通じて得られる体験。利用者が体験を通じて得た感想が含まれる場合もある。

※4　Diligent Robotics

二〇一七年に設立。米テキサス州に拠点を置くロボット工学を活かしたサービスを提供するスタートアップ企業。人間の「日常的なタスク」をサポートすることを目的に、ＡＩ搭載のロボットを開発する。

※5　ジョイスティック

スティック（レバー）を傾けることで方向入力が行える入力機器の総称。航空機や産業機械、コンピュータなどに利用されている。

※6　スペースX

二〇〇二年に設立。米カリフォルニア州に拠点を置き、宇宙開発事業を展開する。ベンチャー企業でありながら同分野の事業をけん引。二〇二〇年には民間で初めて国際宇宙ステーション（ＩＳＳ）への有人飛行を実現させ話題を集めた。

※7　イーロン・マスク

南アフリカ共和国・プレトリア出身の実業家。スペースXの共同設立者およびＣＥＯ、テスラの共同設立者およびＣＥＯも務める。二〇一六年には、「フォーブス」の世界で最も影響力のある人物ランキング二十一位に選出された。

※8　衛星コンステレーション

多数の人工衛星が一群となって協調動作し、システムとしての目的を果たすこと。

※9　スマートシティ
ＩｏＴなど様々な先端技術を用いて、基礎インフラや生活サービスなどを効率的に管理・運営する新しい都市。そこに暮らす市民のデータは蓄積され、資産・リソース・サービスを効率的に管理するために使用される。

※10　Lyft
二〇一二年に設立した米カリフォルニア州に拠点を置くライドシェア型のオンライン配車サービス、および同社が提供するアプリケーション。Ｕｂｅｒとともに同サービスの先駆者として知られている。

※11　Uber ATG
Uber Advanced Technologies Group の略。Uber の子会社として二〇一六年に設立された。自動運転技術や、空飛ぶタクシーなどの最先端自動車の開発を主な事業とする。

※12　キバ・システムズ
二〇〇三年に設立。商品の倉庫への保管、ピックアップから梱包、配送といった一連の作業を効率化するロボットやソフトウェアの開発を主な事業とする。二〇一二年にはアマゾンが七億七千五百万ドルで企業買収し、世界的な話題となった。

※13　GMクルーズ
二〇一三年に設立された、米カリフォルニア州に拠点を置くゼネラルモーターズの自動運転車開発部門。二〇一六年にGMがクルーズ・オートメーション社を買収したことで、現在の形となった。

※14　Cruise Origin

ＧＭクルーズが二〇二〇年に発表した初の無人運転自動車。シェアリングサービス用の電気自動車であり、内部にハンドルやペダルは存在しない。

第六章

DX
デジタル化の本質

デジタルトランスフォーメーションとは何か

ＤＸの中心的なテクノロジーとしてＳａａＳ、リテールテック、フィンテック、ロボティクスを見てきました。それぞれの分野で日本企業は立ち後れており、早急な立て直しが必要だと感じていただけたと思います。

ここまで読まれた方は、日本企業がどうしてここまで海外と差がついてしまったのかという理由が、ある程度見えてきたのではないでしょうか。そして本章では業界個別の事情は一旦切り離して、日本企業ではなぜＤＸがなかなか進まないのか、という根本的な問題を扱います。

この疑問に答えるためには、シリコンバレーと日本の双方に精通した知識が求められるでしょう。そこで今回は、スタンフォード大学アジア太平洋研究所で情報産業や政治経済を研究し、気鋭の学者として知られる櫛田健児（くしだけんじ）氏にお話をお伺いしました。

話題は経営論などにも触れていただいたため、一般のビジネスパーソンの方からすると馴染みの薄い言葉も登場するかもしれません。それでも、紹介するお話は読者のビジネスにとって武器になることは間違いのない貴重なものです。この世界の最先端で活躍される同氏の知見を共有します。

櫛田健児 *Kenji Kushida*

米スタンフォード大学アジア太平洋研究所リサーチスカラー。カリフォルニア大学バークレー校政治学博士。東京のインターナショナルスクールを経てスタンフォード大学で経済学、東アジア研究を専攻。カリフォルニア大学バークレー校で政治学博士号取得後、現職。シリコンバレーのエコシステムや情報通信(IT)、日本の政治経済などの研究を行い、シリコンバレーと日本をつなぐ様々な活動を行っている。コンサルタントとしても日本企業に助言を行い、経営戦略やシリコンバレー活用戦略を手伝っている。

日本企業のつまずき

インタビューの冒頭、櫛田氏は「そもそもDXとは何でしょうか。デジタル技術の導入では曖昧すぎます」と問題提起してくれました。

DXによって組織をどう変えるかが本質だと櫛田氏はいいます。そのための方法として、①デジタルツールを使って組織を根本的に変えるのか、②既存の組織をデジタルツールの導入で改善するのか、という二つの選択肢があるそうです。

そして、ここに同氏の唱える「両利きの経営」の概念が重要となります。一本は大きなハサミを持ち、もう一本はすごく小さなハサミを持ったカニを例として想像してみるとこの概念が理解しやすくなるのだと示してくれました。（図

「大きなハサミは今の主力事業で、最も収益を上げている事業です。しかし、いずれ業界破壊が起きれば、大きなハサミが切り落とされてしまいます。たとえば自動車産業で人々の求める商品がガソリン車からEVになれば、クルマ自体の設計思想から様々な部品まで、あらゆるものが一気に淘汰されることになります。

大きなハサミが切り離されると小さなハサミしか残りません。それでは会社として長持ちしません。だから『両利きの経営』で、主力事業である大きなハサミがまだ存在する間に、それをさらに磨く一方で、小さなハサミのほうも大きく育てなければならないのです」（櫛田氏）

小さなハサミを大きく育てたいなら、大きなハサミと同じことをやっていてはいけないということはおわかりいただけると思います。何をもって成功とするかというKPIをしっかり設定して、頭の整理をしなければいけないのだと同氏は強調しました。KPIとは、Key Performance Indicatorの略で、日本語では「重要業績評価指標」と訳されます。簡単にいえば、「企業が目標を設定したときに、その達成度合いを評価するための指標」のことです。

当然のことですが、日本の目指さんとするDXが最も形になっているのがシリコンバレーです。そのため日本の企業はシリコンバレーを訪れますが、その多くが主力事業のプラスになるかどうかだけを、新規事業のKPIにしてしまいがちなことこそが問題点なのだといいます。もちろん大きなハサミのプラスになることは構わず、IoTやAIを導入して主力事業の収益を向上させるとか、効率化してコストを下げるとか、そうしたことも必要であるということは同氏も認めていることです。そしてこれらの目的を加速させてくれるシリコンバレーでのスタートアップはもちろん数多く存在します。

しかしシリコンバレーの真の強みは、「小さなハサミを大きく育てるような〝新しい価値〟の作り方を見出すところにあるのです」と最も大事なことを教えてくれました。ここを混同してしまってはいけません。

「熟成度が高いスタートアップは確かにすぐに主力事業のプラスになり得ますが、さらに先の将来を見据えているスタートアップは熟成度がまだ低く、すぐには主力事業のプラスにはならないものが多いのです。こうした企業こそが小さなハサミを育てるための材料になり得ます。

大企業の場合、すぐに主力事業のプラスになるという点を最重視してしまえば、協業事業の売り上げが一年ほどで百億円未満なら当社でやる意味はないということになります。しかしこうして価値のある企業を切り離してしまうのはもったいない。大きなハサミを意識しすぎれば、大事なチャンスを逃すこともあり得るのです」（櫛田氏）

シリコンバレーを訪れる目的が大きいハサミを強化することなのか、小さなハサミを育てることなのかでは、付き合うスタートアップも違えば、達成目標であるKPIも異なります。これらの二つの異なる領域を混同してしまうとどちらもうまくいかないことが多いのです。

小さなハサミを育てる場合、比較的アーリーステージのスタートアップと一緒に成長していくことが必要ですが、アーリーステージだとまだ先が明確ではないので、特定のスタートアップが必ずうまくいくというものではありません。むしろ、その分野で伸びそうなスタートアップと複数付き合うというポートフォリオの考え方が大事だという、心構えも必要なのだと続けてくれました。大きなハサミと付き合う熟成度が高いスタートアップとは成功確率が違うということを前提としなければなりません。小さなハサミを育てるために、必ずうまくいくスタートアップを探すことは見当違いなのです。

つまり、現在の主力事業（大きなハサミ）のプラスになる部分と将来の主力事業（小さなハサミ）のプラスになる部分ではKPIも違ってきますので、この二つを明確に分けて考えるという「両利きの経営」をしよう、そうすればDX推進目的でシリコンバレーを訪れても大きな落とし穴の一つを避けられる、ということです。

ただこのように説明をすると簡単な話ですが、ほとんどの会社ができていません。これが日本企業のシリコンバレーで最も陥りやすい失敗の一つだそうで、要するに何を育てたいのかという目的意識がはっきりとしていないのです。そのことを櫛田氏は嘆きます。

「両利きの経営」における必要条件

一方で、両利きの経営を実現させるためには、経営陣のサポートが必須です。

小さなハサミはほとんどリソースを持っていません。そのために大きなハサミの側から、忙しいのにそんなことに付き合っている暇はないよと言われてしまいがちなのだと、櫛田氏はいいます。そうなると現在の主力事業の横やりが入って、将来の主力事業がなかなか育たないという展開になってしまう、ということも実際に起きているようです。

それに対して、トップが小さなハサミを育てるためのＫＰＩを定義し、必要なリソースを送り込むことができれば、シリコンバレー側での即断即決が可能になるでしょう。

スタートアップは伸びるにつれて何度も資金集めをしなくてはならず、スピードが命です。日本企業側の事情で三カ月先の決裁まで待ってくれ、商談に入るためのＮＤＡ（秘密保持契約）を結ぶ稟議(りんぎ)

を通すのに一カ月待ってくれ、となってもそんなに待っている余裕はありません。「今日やるかやらないか決めてくれ、最悪でも週末までに決裁してくれというスピード感で彼らは動いていています。即決できない企業と話をするのは、スタートアップ側からすれば時間の無駄です。結局DXの推進においては、データ・プロセスおよび人に関わるトップのリーダーシップが大事なのです」（櫛田氏）

ここで一つ指摘が必要な点も同氏は加えてくれました。それはKPIについて。デジタルテクノロジーを活用すれば、様々なKPIを基準として業務を評価することができるのです。最初に設定したKPIが必ずしも正しいとは限りません。本当に正しく価値を測定できているのか、こちらのKPIにしたほうが本当の本質を反映していないか――こういうことがコンピュータ上で簡単に試行錯誤できる時代になりました。テクノロジーは私たちに、多角的な見方を提供してくれます。最初に設定したものにこだわらず、最適なKPIを見つける努力を継続していく。このことの必要性を櫛田氏は忘れてはならないといいます。

そして先ほどは小さなハサミと大きなハサミで分けて考える重要性を述べましたが、これが社内では受け入れがたいという事実を理解することが必要です。そのためKPIは違えども、大きなハサミに対して早い段階である程度の成果を出すことが必要だと同氏は助言します。

そうしないと、小さなハサミに対してのサポートが社内で得られません。このあたりは社内政治の話になりますが、大きなハサミに意識的かつ定期的に成功を与えることが、小さなハサミを育てる上では大切なことなのです。

KPIの重要性

「両利きの経営」がうまくできなかった企業として、櫛田氏はコダック[※1]の例を出しました。

「トム・リーという人物がいます。彼は、UCバークレーのビジネススクールで大企業向けに『デジタルトランスフォーメーション』というオンライン授業を教えていて、コダックの百年分くらいの資料を調べたことがあります。それによれば、コダックはフィルムとプリントに使う化学薬品で膨大な利益を上げていました。そして消費者がどのくらい写真を写し、共有していたのかを測るために設定されたKPIは、どれだけ写真がプリントされたかです。

しかしその後、デジタルカメラ（以下、デジカメ）の時代が来たのでデジカメも作りましたが、ユーザーがどれくらい写真を写して『共有』したのかを示すKPIはプリントのままでした」（櫛田氏）

デジカメが登場した頃、フィルムカメラと同じように、撮った写真を店頭で写真用紙にプリントアウトしてもらうという使い方が、一般的になるだろうという業界の予想がありました。その頃はまだインターネットも普及しておらず、高画質で大きなファイルの写真を送ったり、共有したりする手段も限られていたのです。

ＣＤ－ＲＯＭに焼いて郵送するという手段はありましたが、結局受け手側は好きな写真をプリントします。写真を撮るという活動の先にあるのは写真の保存と共有。そしてここは今まで通り、業者によるプリントであるという考えが常識だと信じ込んでいました。

当時はカラーのインクジェットプリンターも解像度が低く、インクのコストも高めです。「デジカメの時代でも写真プリントが中心になるだろうという考え方のロジックは共感できます」と櫛田氏も言います。

そのためにコダックは、コンピュータ技術の発展によって大きく変化した、社会のカメラの使い方、写真の保存と共有の仕方を捉えられませんでした。今では写真の共有方法はプリント数よりも、撮った写真がどれだけＳＮＳに載ったか、そこからフォロワーや「いいね」がついたかという数が指標として妥当です。これらを得るための写真はデジカメ、スマホなど、様々な媒体で撮ったものが使用されています。

専門業者などによるプリントは激減したわけですが、デジカメで写真を撮るという行動は急増していました。しかしコダックのＫＰＩはプリント数だったので、デジカメの爆発的な伸びを捉えられません。

ＫＰＩは目標の達成度を的確に判断する指標でなければならず、時代の変革に合わせた対応が求められます。しかし、そういった指標は彼らの頭に入っていなかったことが問題であったと櫛田氏は指摘します。結果、デジカメがユーザーにとって作り出す価値が「プリント」というものから大きく離れていったことを測ることができず、技術的には乗り遅れていなかったはずのデジタル革命に乗れませんでした。

コダックはＫＰＩを時代に合わせてアップデートしなかったために、倒産してしまったということになります（二〇一二年に倒産し、大幅に規模を縮小して再出発。二〇一三年に再上場を果たす）。コダックの例を見てもわかるように、ＫＰＩをどう設定するかは経営に極めて大きなインパクトを与えるのです。

ＫＰＩ設定で差をつけるには

また、ＫＰＩの設定の巧拙で櫛田氏がよく使う例が航空会社です。実際にサンフランシスコから成田への空路で、ユナイテッドとＡＮＡが同じ機体で同じ時間に運行していました。（コロナ前までは）この二企業は、特にエコノミーの搭乗価格がまったく同じでしたが、乗ってみれば疑問を感じるのだといいます。

ユナイテッドはＡＮＡに比べてエコノミー席の列を一つ多く設置しています。各横列がＡＮＡの左側二席、中央四席、右側二席に対して二席、五席、二席と一席多いのです。その結果、隣との幅が狭くなります。

横五列の真ん中に乗ってしまえば、席はどちらの方向にも二人乗り越えないといけない。十時間ぐらいのフライト中はトイレに行くのも大変です。しかも添乗員もほとんどいませんし、機内食の質も悪い。

一方ANAは、ユナイテッドと比較すれば余裕があり、CAは親切で、機内食も普通に食べられるものだといいます。ビジネスクラスの内装もまったく違っていて、ユナイテッドはフルフラットではありますが、コロナ前に行われた内装変更までは隣の乗客との間隔がやたら近くでした。これに対してANAは個室に近い空間となっていて、食事も豪華です。体験すればすぐにわかることですが、顧客満足度は圧倒的にANAのほうが高い。それなのに料金はほとんど変わりませんでした。

これはおかしいと櫛田氏は疑問に思っています。明らかにANAのほうがコストをかけていて、誰が評価してもサービス品質が高いはず。しかし両者は同じ値段です。

つまり、「ANAは価格競争に巻き込まれたのだと考えることができます」と同氏は分析しました。ほとんどの人は航空券を買うときに、出発地と到着地、値段、航空会社というデータ項目ぐらいしか見えません。旅行代理店も同じです。したがって過去に両方に乗ったことがないと、乗る前にサービス品質の違いがわからないのでしょう。

ここで、これまで述べてきたDXの考え方を当てはめて具体的な解決策を同氏が提示してくれました。

「ANAがやるべきことは、サービス品質を測定し、それを航空会社選択の要因として世間に知らしめることです。たとえば、腕時計型の健康センサーやセンサーを搭載したシャツからのデータをスマホのアプリに落とし込めば体への負担が測定できます。そこからストレスの度合いもわかるでしょう。マイルを提供するので匿名ベースでデータを提供していただけませんか、とオファーすれば喜んで受けてくれる乗客は少なくないはずです。ユナイテッドに乗る乗客に対しても、ANAからマイルを提供するので、このシャツからのデータを提供してくださいと言えば、やはり協力してもらえるはずです」（櫛田氏）

そうやって搭乗体験を客観的なデータにして搭乗体験で体にかかる負担やストレスを「見える化」したストレス・インデックスを作った上でANAとユナイテッドを比較し、その情報を公開すれば購買行動も大きく変わるかもしれません。

櫛田氏は様々なケースを想定して、この解決策の根拠とします。サンフランシスコから成田の航路だけで考えても、搭乗時間が十時間あり、降りてから重要な会議や会食があったらどうでしょうか。体にかかる負担が軽いほうが、多少の値段の違いをカバーするぐらいの費用対効果がある場合が多いでしょう。

逆に、プライベートの旅行で、できるだけ経費を削減したい場合は多少体に負担がかかっても値段で決めるかもしれません。もちろん、そのまた逆で、家族旅行で小さい子供を連れていた場合、行き先に辿り着くまでのプロセスで体力を使い切ってしまってはせっかくの旅行が楽しめません。少し高くても機内サービスが良くて食事も心配しなくてよいフライトを選ぶでしょう。

企業が提供しているサービスの質も、それにかけるコストも高い。それなのに価格競争に巻き込まれてしまった。これがＡＮＡの陥った状況です。

「ここを突破するには、まずは価値の見える化をしなくてはいけません。この場合のANAのKPIはお客さんの体にかかる負担やストレスの軽減に設定できます。そしてそれをできるだけ客観的に測ることが必要です。『お客様の満足』という目的を漠然と設定し、クレームをつけてくる一部の極端な人のみの話を聞いていては、本当に提供している価値を測っていることにはなりません。アンケートはそれなりに情報が集まりますが、あくまでそのアンケートに何かを書き込むぐらい強烈な意見を持ったユーザーの意見です。文句を言いたい人にバイアスがかかる可能性が高いことは予想ができるでしょう。とても満足していても、忙しい人や子連れで手がいっぱいの人はアンケートに応じる余裕はありません。集まってくる声が偏るわけです」（櫛田氏）

また、売り上げをＫＰＩに設定する場合、なぜ売れているのか、ということが理解されていないことが多いのだと同氏は続けます。提供側が売れていると考えている理由と、客が選んでいる理由が異なっている場合が多いので、これらをどうやって測るのかが勝負を分ける分岐点となるのだと語気を強めました。

スタンフォードのd.school[※2]で行われるデザイン思考などの手法では、ユーザーの体験から感情を中心に引き出す練習をします。この測り方を可能にするのがデジタル技術とそれを使いこなすプロセス、そしてこのプロセスを可能にする組織です。これが櫛田氏の唱える本質的なDXへの取り組み方だといいます。

DXの完成形

DXの究極の姿について櫛田氏に尋ねました。その答えは私たちの固定観念として存在するデジタルトランスフォーメーションとは、少し違ったイメージです。

「組織として、お客さんの困りごと（ペインポイント）に寄り添って、様々な解決策をたくさんの人が出す。そして素早い仮説と検証を繰り返せることが、DXの究極の姿なのです」（櫛田氏）

この言葉は社員全員がデータ分析のプロであるデータサイエンティストになろうという話ではありません。データサイエンティストを上手に使いこなそうという話なのです。

DXで新しいデータを作り出す流れができた場合、データを分析するシステムを作る必要があります。そして、その場合にはゼロから新しく構築するほうが安く済む場合が多いのだそうです。クラウド上にプラットフォームを用意して、データベースに新しいデータを送り込むだけで済むためです。拡張する際には追加費用を払って、もう要らないとなれば契約を解除するだけで終わります。

しかし、多くの企業では、基幹系のITシステムというものがあって、しかもその開発から運用・保守をSI業者などのベンダーに外注しています。その結果、ちょっと変えたいといっても、下手をすると一年も二年もかかってしまい、相当なコストもかかるので様々な実験を柔軟に行うことができません。これが厄介なことだと同氏は考えます。

そうするとDXを推進するためにKPIを見直そうとする際、どういうデータなら実験しやすいのかを見極める必要が出てきます。航空会社の例で考えると、航空券の予約システムは、ガチガチの基幹系システムでこれに手を入れるのは容易なことではなく、下手にいじってシステム障害が発生したら、業務へのインパクトが大きすぎます。

櫛田氏が考える現実的な方法は、コアな業務オペレーションのシステムとは異なる領域で、グローバル企業が提供する安くて柔軟なプラットフォームを利用することです。顧客から新しく取得したデータを載せ、分析し、それをマイレージのシステムからのインプットとアウトプットに連動させて手軽に実験を行います。

いまや情報の蓄積能力、ネットワーク、CPUでの情報処理能力など、コンピュータリソースの使用価格は、少し前までは考えられないぐらい安くなっています。希少なリソース（資源）が豊富なリソースになり、実験がいくらでも可能になったのです。

この状況を同氏は過去の出来事にたとえて説明してくれました。それは二十世紀に起こった事例です。石油や石炭といった資源が豊富に採取できるようになって安くなった結果、エネルギーが豊富になり、あらゆる産業が飛躍的に発展しました。一方、二十一世紀は情報の蓄積能力と処理能力というリソースが、希少でコストが高かったものから、安くて豊富なものになりました。様々なデータを組み合わせ、あらゆる角度から見て、事業を発展させるための知見を見つけ出す。これらがコストを気にせずにできるようになったわけです。

したがって先ほど紹介した櫛田氏が考えるDXの究極の姿につながります。組織の様々な人物が色々な考え方をできるかどうか。これこそが、同氏がDXを語る上で最も大事とするところです。

データの妥当性を考える

またDXにはもう一つ重要なポイントがあります。それはデータが正しいかどうかを見極められることだと櫛田氏はいいます。

データそのものは事実ではありますが、どうやって測っているかによってデータが根拠のあるものなのかどうかが変わってきます。難しい分析をして、数字とグラフを見せられると、いかにも信憑性があるものだと人は感じてしまいますが、そのデータがどうやって作られたかを知らなければ、本当に正しいのかはわかりません。

櫛田氏が挙げてくれた例が新型コロナウイルスです。たとえば感染者数や死者数はどうやって測定しているのでしょうか。重症者数の定義が東京都と国では違っていたなどという話がありましたが、だとすると別々の基準で定義された重症者を合算した途端に、データの正確性がなくなってしまいます。

感染者数などはもっと曖昧です。たとえばアメリカでは、鼻の組織を取って一回陽性だったら感染者として数えるところがありました。その一方で、同じ鼻でもパンデミック初期のテストは様々な測定者が乱立していたため、一回ではエラーの確率もかなり高いので、二回やって陽性になったら感染者としているところもありました。

その後、複数の種類の検査が作られると唾液でも検査できるようになります。そうなるとさらにややこしくなり、鼻と唾液の二つの検査をして共に陽性だったら感染者、あるいは唾液のみで一回陽性なら感染者など基準はバラバラでした。もっと初期だと検査能力が圧倒的に不足していたので、肺の調子が悪く熱があれば肺炎、熱がなければコロナと断定する病院さえあったといいます。

こんな状況ですから「感染者数」という一見客観的なデータも、実は測り方が定まっていないので、どれだけ真実を映し出しているのかがわかりません。測っているものが違うので、感染者の数が激増したというデータが出ても、感染が広がっていることを示しているのか、あるいはすでに感染が広範囲で広まっている現状に対してデータが追いついていったのかが、わからないのです。

どちらの状況なのかによって対応策は異なります。感染が広がっているタイミングならクラスターを徹底的に洗い出すのが急務ですが、すでに広範囲に広まっているなら、劇的なロックダウンが必要かもしれません。ロックダウンは深刻な経済ダメージを伴うので、数字は何を示しているのかを理解する必要があります。

コロナはほんの一例で、このように数字などという一見客観的な概念でも、本当に測りたいものを測っているとは限らないことを理解する必要があります。櫛田氏はこうしたことはビジネスにおいていくらでもある話であると説明し、アンケートの例も紹介してくれました。

自社製品の売り上げを分析しようと、数多くのお客さんにアンケートを送り、どこを気に入ってくれてどこに改善の余地があるのかを聞き取ることは一般的です。そこで集まった客観的なデータをもとに品質の改善や機能の追加をすればよいと考えがちですが、そこには「自社製品を買わなかった人」のデータが入っていません。すでに買った人や企業のデータを分析した上で改良を加えた場合、それはすでに買った人にもう一度購入を促すかもしれませんが、買わなかった人がなぜ他を選んだのか、どうすれば引き寄せられるのかという分析にはなっていないのです。

「自社製品に対する評価のデータは自社製品を購入した人に限ったものなのか、それとも自社製品を購入しなかった人を含んでいるのか。そして自社製品を買わなかった人からはどのようにしてデータを集めたのか。こういったことをしっかりと見極め、正しい基準を作っていくことは、データサイエンティストの仕事というよりは、データサイエンティストを使う側の仕事のはずです」（櫛田氏）

今日本には、データを分析する技術を持つデータサイエンティストやAIを活用したアプリケーションが作れるAIエンジニアも必要です。しかしそれ以上に数として必要なのは、データサイエンティストやAIエンジニアを使いこなすことができる経営者や管理職であることを同氏は主張するのです。こうしたビジネス領域がある程度わかる人たちにエンパワーメントするための取り組みが、本来のDXです。

社内の情報の流れを変えよ

ここまでにお話ししてきたことを実現するためにはどんな取り組みが必要でしょうか。その答えを櫛田氏は、「社内の情報の流れを変えないといけません」と教えてくれました。

このことは過去の日本とアメリカのビジネス体制から考えてみると、必要性がよりわかりやすくなるのだそうです。

日本の経済が好調だった二十世紀後半は、「カイゼン」で情報は下（現場）から上に流れていました。一方で、その当時のアメリカの製造業は、上から設計図が降りてきて、現場は単純作業をするだけ。下から上には情報が流れませんでしたから、プロセスに問題があっても、あとになって原因究明しないとわかりません。しかも各工程で在庫は山積みとなり、日本の「ジャスト・イン・タイム」とは違って、すぐに改善されたものや直された問題が製品に反映されるまで時間もコストもかかっていたのだそうです。日本は工場の作業者でも、情報を上げながら次々と改善していくので、コストをかけずに品質が向上していきました。

ところが日本では工場ではできていたことが、オフィスがＩＴ化されるとできませんでした。ここを櫛田氏は問題視しています。オフィスでは、ベンダーが作ったＩＴシステムを使っているだけ。本来なら現場が会社から渡された様々なツールをレゴブロックのように組み合わせて、データの掛け合わせをすることで解決策を探るべきです。しかし、システムを単純に使うだけではこれが試せません。

さらにオフィスの業務に問題があって、生産性が上がらなくても、現場からの声が経営者まで上がってこないのだと指摘します。何か変えようとすると情報システム部門は、良いソリューションはないかベンダーへ相談に行きます。しかし、多大な時間とコストがかかることがほとんどで、現場からの声が随時業務システムのカイゼンにつながりません。

そもそもＩＴツールを向上させるのはＩＴ部門や情報システム部だけの仕事ではないはずだと同氏

は考えます。各部門が自らデータを集め、分析し、仮説を検証するために実験を行わなければなりません。

「こうしたこともすべて含めてDXだといえます。実はシリコンバレーでは、DXという言葉は流っていません。トランスフォーメーションなどしなくても、そもそもみなデジタルを活用しているのです」（櫛田氏）

GAFAはもちろんのこと、動画配信サービスであっという間に世界を変えたネットフリックスでは「デジタルという言葉すら聞いたことがありません」と元社員は語っているといいます。

だから実はシリコンバレーの人たちにどうすればDXができますかと聞いても答えは得にくいのです。彼らは自分たちがあたりまえにやっていることは説明できても、どうやったら既存のやり方や組織からそこに辿り着くのかというプロセス、つまり現状からトランスフォームできるのかということはわからない。つまり根本的にDXが実現できている会社とそうでない会社では社内の流れが違い、まずはこれを改善しなければならないのです。これが同氏の答えでした。

誰がDXを教えてくれるのか

あたりまえに行っていることをDXに当てはめて説明してもらうのは難しい。ではどうやってDX

を学べばよいのかという疑問が出てきます。

櫛田氏はこれに対して「学ぶべきことはこれまでのビジネスの前提を外して、本当の顧客からの目線で困りごと（ペインポイント）や課題を理解し、解決策を考えていく方法です」と言います。そして「企業は口先で『お客様目線』と言いますが、本当にピンポイントで顧客を把握して、それを起点にビジネスを作り上げている会社はほとんどありません」と続けます。

ここでも同氏はわかりやすい例を交えて説明してくれました。たとえば自動車メーカーならディーラーをなくすとか、地銀だったら子会社でフィンテックサービスを始める、といったものです。こうした新しいアイデアも、提供者中心の考え方で取り組むのではなく、顧客のどのペインポイントを解決しているのかを明確にする必要があるのだといいます。

まずクルマの場合について同氏の考えを説明しましょう。シリコンバレーのテスラはディーラーを挟んでいない直売モデルです。これは顧客にしてみれば、複数のディーラーが競って値引き交渉や、オプションなどをつけてくる時間と手間と体力がかかる交渉プロセスをなくしたモデルだと見ることができます。

ウェブサイトからも自分の好みのオプション、明確な金額で買えるという大きなメリットが生まれます。修理も、テスラと直接アプリやウェブサイト、および電話を通して依頼できるので、間に入って価格もサービスも異なる可能性があるディーラーを省くことにつながるのです。

そしてフィンテックの場合についても考えを教えてくれました。同分野はユーザーの困りごとや課題を解決しなければ、地銀だろうがメガバンクだろうがスタートアップだろうがあまり関係はないのだと櫛田氏はいいます。

しかもオンラインで管理するネットバンキングだったら、ユーザーから見て誰が提供しても、そこに差はないのではないかと分析します。①手軽に預金をコンビニのATMで手数料なしで引き出せること。②見やすくて操作がしやすいこと。③自分の生活に合った機能が備わっていること。④金利が一緒だということ。⑤何か不正があったら直ちに銀行が対応してくれて、不正な引き出しなどがあればそれを補塡してくれること。この五つを提供できているなら、フィンテックと組んでいても、組んでいなくても、メガバンクでも地銀でも、ユーザーには関係ありません。

フィンテックと組んでいたら圧倒的に操作性が良いとか、自分の資産を管理しやすいなどはあり得ますが、それはフィンテックでないとできないとは限りません。既存の金融機関がフィンテックと謳っても、ユーザーにとって使い勝手が良くなっていない場合、誰もついてこられないのです。

「お客さんはどのようなペインポイントを抱えているのかを寄り添って理解し、解決策を実現しなくてはいけません。その解決策はこれまで述べてきたフレキシブルなITインフラだったり、社内で新しい仮説の検証と実験ができる場です。そのためのDXです」（櫛田氏）

そして、この考え方はBtoBのビジネスでも役に立つのだといいます。ここでは発電所を製作・

販売している重工業会社を例に挙げていただきました。

販売会社の顧客は電力会社や政府機関ですが、運営するのはその孫請けぐらいの会社です。この発電所販売ビジネスは定期メンテナンスでも利益を出せますが、想定外の壊れ方をして発電所が停止すると高い修理コストや罰金が発生して赤字になってしまう可能性もあります。重工業会社のお客さんである電力会社や政府からすれば、発電所が止まると売り上げが下がるだけではなく、停電防止策や停電対応策、あるいは停電による社会的なコストまで降りかかってくる。つまり止まることが大問題なのです。

だとすれば次のような価値の提供ができるのではないか、と櫛田氏はいいます。

① 想定内の使い方だと問題がなくても、想定外の使い方をすると予期せぬ壊れ方をしやすいことを前提に考える。機械の様子だけではなく、オペレーターの人たちの動きもＩｏＴで測定し、想定外の動きが発生するとすぐに原因を調べて未然に機械の破損やそれによる停止を防ぐ。こうした使用の「見える化」を行う。

② ①に加えて、オペレーターが想定内の動きをしていれば五年間で稼働率は○％。想定外の動きはいち早く察知して他社に比べて事故を未然に防げる確率が上がるといった客観的なデータを提示する。

「こうした価値を客観的に示すにはＤＸが必要です。ＤＸの目的の一つは価格でしか勝負できないような世界から抜け出して、価値を作り、示すこと。示すためには測定可能でないといけない。今まで測れなかったことを測るためのデジタルツールが必要になる、というようにすべてがつながっていきます」（櫛田氏）

デジタル時代に最も重要なのは人脈

シリコンバレーのビジネスで中心的存在なのはVC（ベンチャーキャピタル）であるということは、これまでの章でも見てきました。櫛田氏もこのことには同意しています。

そしてベンチャーキャピタルは、M&AかIPO[※3]でしかリターンが得られません。しかも十年のファンドで百社ぐらいに投資したとして、そのファンドのリターンのほとんどは場外ホームランを叩き出す一社だけで賄うという戦略です。だから急速に成長すると考えられるものにしか投資をしません。ですからもちろん、失敗するスタートアップのほうが圧倒的に多いことは当然です。そのため、人材流動性がものすごく高い。

しかし失敗の仕方が上手でまだまだ先があるとみなされたら次のチャンスもあるのだと櫛田氏はいいます。

「有望な起業家は何回でも失敗する。起業家より圧倒的に数が多いのが従業員ですが、シリコンバレーのスタートアップの従業員ですから、知識や技術のレベルは世界レベルで見ても高い上、短期間に数多くの経験を積み上げていきます。そんな人たちが常に流動しているのがシリコンバレーという場所なのです」（櫛田氏）

ＶＣは常に急速に成長しそうな会社を探していますから情報が大切です。そしてその情報をもたらしてくれるのが人脈なのだと同氏は伝えます。しかもＶＣは資金提供以外でも人材を紹介し、パートナー企業などにつなげてくれるので、ＶＣが提供してくれる価値は金だけではないこともおわかりいただけると思います。そのためＶＣの経営陣はみな人脈が豊富で、その人たちがつながり合ってエコシステムを作るのです。

さらに産学連携、大学の研究者たちが作った会社も多く存在します。たとえばインポッシブル・フーズ[※4]というプロテインや植物で作った人工肉を製造・開発する食品テクノロジー企業があり、同社が作る商品は食感もリアルで上手に調理するとおいしいと評判です。

「スタンフォード大学のスター教授だったパトリック・Ｏ・ブラウンが十八カ月のサバティカル（研究のために一時的に授業で教えず、教授としての業務も免除される期間）中に考案し、設立した会社です。スター教授でしたから、周りにはエンゼル投資家、グーグルのファウンダーの指導教官で大富豪の同僚などがいます。優秀な博士課程の大学院生や研究者との接点ももちろんあるので、そういうエコシステムの中で、人工肉の事業を始めるとなったら資金が簡単に集まるのです。実際にスタンフ

ォード大学の博士課程を終えた人を次々と雇っています」（櫛田氏）

人工肉の品質に関しては、いかに本物の肉に近づけられるかを考えて、焼き加減で変わる柔らかさやレアに近い場合の赤さ、味の変化や嚙みごたえなどを徹底的に測定します。こうして極限まで本物に近づけるのだそうです。測定や計算にはもちろんＩＴを駆使して人工肉の開発をしているわけで、ＩＴ業界ではなくても、ＩＴをフル活用しています。

シリコンバレーからすれば、そもそもＩＴ業界という感覚はありません。日本からすればすべての企業がＩＴ関連の会社に見えるかもしれませんが、同氏は「ＩＴじゃない業界は見当たりません」と言い切ります。彼らからすると、ＩＴエンジニアやＡＩエンジニア、データサイエンティストが社内にいることが大前提なのです。

日本企業もシリコンバレーのエコシステムに入っていかなければ、人脈も情報も得られません。そのため企業は最も優秀で社長や経営層トップと信頼関係がある人材を送り込むのがベストです。そして、社長自らも機会があるたびに足を運ぶ必要があるでしょう。

業界破壊はどこからでも起こる

インポッシブル・フーズは、ブラウンが地球温暖化を減速させるために、二酸化炭素やメタンガスの排出を減らすことが必要であると考えて創業しました。牛の工業用畜産農業を廃止するのは効力があり、そのためなら自分にも大きく貢献できるものがある、という思いで作った企業です。

また、ブラウンと似た志を持つのがイーロン・マスクだと櫛田氏はいいます。彼はテスラに加え、再利用可能なロケットを通して人類を火星まで届けることを目的とするスペースXも立ち上げました。このまま地球温暖化が進んでしまっては人類に先はないという強烈な危機感を抱いていることが事業のモチベーションとなっているのです。テスラはEVだけではなく、ソーラーパネル、そして新たな「発電する瓦」を用いたソーラールーフと、家庭用蓄電池でも事業を急拡大中です。こうしたシリコンバレーの企業は、自動車産業や家庭用蓄電池など既存の業界を破壊する可能性を秘めています。

「すでにDX後の世界で生きている企業だからです」と櫛田氏は語気を強めます。

デジタル時代が到来する以前に、スマホがどのような業種を破壊したかを振り返れば、DXの潜在的な力がわかるはずです。カメラ、音楽プレイヤー、コピー機、GPSナビなどの既存の業界が、大きな打撃を受けたことは皆さんもご存知だと思います。

しかし、スマホが最初に登場したとき、これらの業界はそれぞれ業界内のライバルと世界シェアを巡って戦いを繰り広げていて、スマホは携帯電話の延長として捉えられていました。しかし、五年ほどで、自らの業界とはまったく別のところから大打撃を受けたのです。これは彼らにとってまったくの予想外でした。

さらに予想外だった例は、スマホが中国で現金に置き換わったことだと同氏はいいます。中国などでは、いまや屋台でさえ現金を嫌がり、QRコードでないと決済してくれないほどです。商売気たっぷりの中国人が現金を受け取ってくれないなどと、スマホが出てきた瞬間から予想できた人はいないでしょう。

要するにどこからライバルが現れるかまったく予想できない時代になってしまったのです。このことは二〇〇〇年代からいわれてきましたが、今後もこの傾向は加速していきます。こうなるとすべての企業が常に危機感を持って、アンテナを張り巡らすしかないのだと同氏は主張します。

そしてやはり「両利きの経営」で本業が元気なうちに新しい価値を作り出すしか道はないのです。そのためには、すべての企業がIT会社・テクノロジー会社になることが必要でしょう。

たとえば、ウィズコロナ、ポストコロナ時代にオフィス貸し業界を破壊するのはテスラかもしれないと櫛田氏は指摘します。

「車内で、大画面でZoom会議をやれるのはいいアイデアだとイーロン・マスクは主張しているので、近いうちに実装されるかもしれません。空調も快適です。いくらでも蓄電できる電源があり、個室空間で、ネットには常時つながっています。新しい機能が常にダウンロードされるので、これ以上の個室オフィスはないと考える人も出てくるでしょう」（櫛田氏）

攻めの経営

業界が破壊されて、淘汰されないためには守りも大切と考えがちです。しかし櫛田氏は、「シリコンバレーで守りに入って成功した会社は存在しません。攻撃が最大の防御です」と断言します。

シリコンバレーでは、トップ企業が入れ替わるのがあたりまえです。フェイスブックの本社ビルは、かつてはサン・マイクロシステムズ[※5]（ＰＣの到来以前の一九八〇年代にワークステーションの覇者だったが二〇一〇年にオラクルに買収された）の本社でした。

今でもフェイスブックの看板の裏にはサン・マイクロシステムズのロゴがついたままです。会社の寿命、トップに君臨する期間は短く、すぐに次の覇者が現れるということを繰り返しているのです。守りに入ってコストカットや既存事業の効率を上げるだけだとすぐに潰れてしまいます。新しい価値を作るために攻め続ける会社だけが生き残っているのだと櫛田氏が話す理由です。

そんな時代に日本企業がまず始めるべきことは何でしょうか。

同氏の答えは、「まず会社のあらゆる層で本当に顧客と向き合って、彼らのペインポイント、ニーズは何なのか、どのように価値を提供できるか、顧客目線で考えられるかに本気で取り組むこと」だといいます。

そのためには自分たちを中心に考えて「何を提供するのか」というところで始めるのではいけません。顧客、あるいは顧客の顧客はどういう課題を抱えているのかということを知らなければならないのです。

直接聞き取りをすることも大事ですが、顧客も理解していない構造問題や課題もあり、彼らもその先のお客さん目線で仕事をしているとは限りません。したがって想像力も必要なのだと同氏は続けますが、それ以前の勉強が経営者や中間管理職に足りていないことは問題だといいます。

アメリカではエグゼクティブ教育が盛んで、トップ大学のビジネススクールはもちろんのこと、工学部やその他の研究機関などが本格的な研修や授業を提供しています。グローバルなトップ企業の中間管理職はこうした授業を受けにきて、その場で共通認識を持ち、お互いの考え方も伝え合うので人脈もできます。今はオンラインでも様々な授業や研修がトップ大学から展開される時代です。

教授たちも様々な企業に対してコンサルティングを行う人物ばかりです。社外取締役なども務めているメンバーが多いので、極めて実践的な内容を教えてくれます。多くの日本企業の中間管理職が大学で学んでいた頃に比べるとまるで別物なので、驚くほど役に立つのだと櫛田氏はおすすめしています。DXというタイトルの授業も実際にあり、世界中の大企業と意識が高い個人を相手に優れた授業が展開されています。

日本企業の経営者や管理職の知識はガラパゴス化していて、もはや日本は井の中の蛙状態だといえるでしょう。世界の経営者やマネージャーがあたりまえにわかっていることを知らないので、提案することや戦略が顧客目線からの課題解決になっていないのです。

「AI人材を作らなければと口では言いますが、それはどういうイメージの人なのかがわかっていません。AIが作れたり、そのアルゴリズムを応用したりする人も重要ですが、それよりも彼らを使いこなせる人こそが、今の日本に必要なAI人材です」(櫛田氏)

日本人は、平均的なレベルは非常に高いのだと同氏はいいます。しかし、大学卒業以降の人たちを見てしまうと、途端に教育水準が低くなる。博士どころか修士も、MBAも少ない。これらの高学歴者に対して、なぜか実世界のことを理解していないとバカにする傾向さえあり、日本の大企業は彼らを使いこなせないどころか、そもそも求めていないという風潮すらあります。櫛田氏はここを問題視しているのです。重要なことはエグゼクティブ教育を継続的に受けて、知識をアップデートしていくことであるはずです。

日本にとって幸いなことに、ここ二十年で日本のビジネススクールがだいぶ増えました。ただどこのビジネススクールも教員は日本人が多い。彼らがどこで教育を受けているかということも、ビジネススクールを選ぶ重要なファクターだと櫛田氏はアドバイスをくれました。

「あとは小さくてもいいからアクションを起こすこと。日本では小さなハサミの事業であっても一つのプロジェクトでの成功率が求められがちですが、そこはVCのようにポートフォリオ的思考で、小さな投資・案件・プロジェクト・実験を数多く行い、その中からホームランを狙うという考え方をしたほうがいいのです。途中で投資先を乗り換えてもかまいません」（櫛田氏）

成功率や早期の収益化は重視しません。グーグルやアマゾン、その前にはアップルやインテルなどの企業が急激な成長を見せました。しかしこれらの企業に投資して膨大なリターンを叩き出したトップVCたちの成功率は、実はものすごく低いのです。

収益化にも何年もかかっています。既存の大企業の大きなハサミの考え方で投資していたら、今のシリコンバレーにあるトップ企業のほとんどは育たなかったでしょう。

DX案件でいう小さなハサミに関していえば、数多く種を蒔いて、芽が出そうなところがあれば、そちらに賭けていく。こういう従来の日本企業にない発想を可能とするには新しいプロセスが必要です。その新しいプロセスを可能にするには、新しい組織と「両利きの経営」の考え方が重要となります。DX時代に必要なデータ・プロセス・組織の改革にはこのような考え・行動を取ることが必要なのだと同氏は最後に教えてくれました。

本章のおわりに

櫛田氏へのインタビューを通してDXへの考え方が変わった読者も多いのではないでしょうか。

そうした方に対して私の考えですが、流行り言葉に乗せられないということも大事なことだと思います。言葉だけを知っているというわけではなく、DXという言葉の本質は何なのか、櫛田氏がこれに対するすばらしい答えを示してくれましたが、DXに限らず自分たち自身でも常に物事の本質を考えることが必要です。

DXといっても内と外があることを第一章で説明しました。社内データに関するDXと営業に関するDXなど。そういったものの本質を考えて、うまくいっているのはどこなのか。勝ちパターンを見極める必要があります。

たとえば、「このソフトウェアを入れたら変わるよ」という言葉を聞いたときに、考えなければいけないことはいくつもあります。このソフトウェアは十年続くのか。他にもっといいものが出るのではないか。正しい懐疑心を持ちながら新しいテクノロジーを取り入れていかないといけません。そういったときに業者の話を鵜呑みにするのではなく、より成果が出やすい未来に近づいていくということが求められるのです。

櫛田氏の話にあった実験の重要性に通じることです。色々な専門家の話を聞いて、本当にそうなのかファクトチェックをすることも時には必要です。

そして何より、インタビューの中にあったスマホの話を思い出してください。予期せぬ場所から業界破壊が起きるという危機意識。これがかつてないほど必要になってきます。

データを常に取れるようになったことで、要らなくなるものは大量に出てきます。先読みをしてこれはもしかしたら他のもので代替できるかもしれないという意識を常に持ちながら仕事をしないと、十年後には予期せぬことが起きているかもしれません。

そうしたことへの対抗策の一つがDXだといえるでしょう。櫛田氏は現在のシリコンバレーで起きていることや日本に必要なことを共有してくれましたが、こうした話は滅多に聞けない貴重なものです。だからこそ、常にCS（顧客満足）や展示会などのベンチャー企業に関するニュースなどにも好奇心を持って、一カ月に一回は自分の力で情報をアップデートする必要があるのです。

※1　**コダック**
正式にはイーストマン・コダック。一八八一年に創業。米ニューヨーク州に拠点を置く、世界最大の写真用品メーカー。世界で初めてロールフィルムおよびカラーフィルムを発売したことでも知られる。二〇〇〇年以降のデジタル化の波に乗り切れず、二〇一二年に一時倒産。二〇一三年に大きく事業を縮小した上で再上場した。

※2　**d.school**
正式には、Hasso Plattner Institute of Design（ハッソ・プラットナー・インスティチュート・オブ・デザイン）。二〇〇四年にデビッド・ケリーに創設されたスタンフォード大学を拠点とするデザイン思考研究所。人の気づきを活性化し、イノベーションの創造力を養うことを目的とする。

※3　IPO

Initial Public Offeringの略称。日本語では新規株式公開と訳される。未上場企業だったが、新規に株式を証券取引所に上場し投資家に株式を取得させることを指す。

※4　インポッシブル・フーズ

二〇一一年に設立。米カリフォルニア州に拠点を置く食品テクノロジー企業。二〇二〇年の時点でアメリカと香港の千以上のレストランで同社の人工肉を使用した「インポッシブル・バーガー」を提供する。

※5　サン・マイクロシステムズ

一九八二年に米カリフォルニア州で設立されたＩＴ企業。一九九〇年代には新興企業でありながら、ＵＮＩＸの開発において業界を席巻した。しかしその後、高性能化が進むＣＰＵの開発で後れを取り、二〇一〇年にはオラクルに買収された。

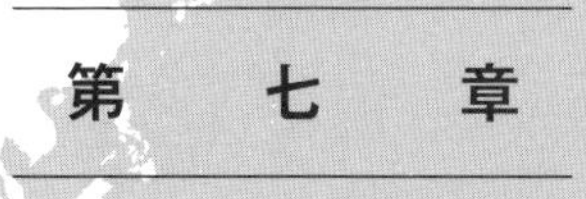

DXの成功例
世界で戦う
日本企業

日本におけるＤＸのトップランナー

前章では日本企業がＤＸを推進するために必要なことを共有しました。そして本章では、実際にＤＸに成功した日本企業を紹介することで、皆さんに具体的なイメージを持っていただければと考えています。ご紹介するのは建設機械・鉱山機械メーカーのコマツです。

先ほどの章でお話を伺った櫛田氏にも、日本でＤＸに成功した企業はどこか、と尋ねると、真っ先に挙げてくれたのがコマツでした。ビジネスの有識者の間でコマツは、ＤＸのトップランナーとして知られているのです。読者の中には意外だと思われる方もいるかもしれませんが、シリコンバレーでも同社の名前は広く知れ渡っていて、大きな影響力を持っています。

そこでコマツのＣＴＯ室Program Directorである冨樫良一（とがしりょういち）氏と対談の場を設けました。その回答をもとに、彼らの取り組み、ビジョンをご紹介したいと思います。

冨樫良一 *Ryoichi Togashi*

コマツCTO室Program Director。1993年コマツ入社。新事業推進業務に従事。自走式破砕機、ハイブリッド油圧ショベルなどの設計開発を手がけたのち、オープンイノベーション推進業務を経て、2014年、CTO室創設に伴い現職。毎年約半年間シリコンバレーに滞在し、大学、ベンチャーキャピタル等の外部アドバイザー活動にも従事。2018年度までは社外委員会活動として、研究産業・産業技術振興協会の研究開発マネジメント委員会委員長を務め、2020年からはARCH（虎ノ門ヒルズインキュベーションセンター）のメンターとして異業種交流も推進中。世界中を探索しながら、先進技術の情報収集・調査、パートナー選定を推進中。

見える化と最適化の取り組み

まず冨樫氏に、DXにおけるコマツの歩みについて尋ねました。同氏は「二〇一五年二月にスマートコンストラクションというサービスを始めました。様々な企画を立てることで社会実装を着実に進めているということです」と言います。これがコマツにとってDXへの大きな一歩だったわけです。

そして二〇一七年十月にさらなる進歩を迎えます。ランドログの設立です。

「建設現場の見える化を目的にスマートコンストラクションを立ち上げて、見える化の次は最適化に進化しなければと考えました。それを実現させるためにはランドログというオープンプラットフォームが必須でした」（冨樫氏）

その後もコマツの進化は止まらず、直近では、レトロフィット（Retroactive refitから作られた造語。建物の施工後に修繕を行う、あるいは古くなった機械や装置に新式の技術を組み込むなどの意味）に着目し、二〇二〇年三月に、現場のアナログな機械にICT機能を付与してデジタル化する後付け装置「SMARTCONSTRUCTION Retrofit」の提供を発表しました。

見える化・最適化については櫛田氏もその重要性を強調していました。実際にこうした取り組みについて具体的に見ていきましょう。

まず見える化の取り組みがスマートコンストラクションです。最初に実現した例としては、ドローンを活用した現場の地形データのデジタル化が挙げられるといいます。「ドローンありきで何かを始めようということではなく、現場で困っていることは何なのかを掘り下げた結果それに行きつきました」と冨樫氏は言います。

現場で実際の作業を見ていると、従来の測量には多くの日数がかかるという問題が見つかりました。それに数百メートル間隔での計測ともなれば地形の詳細データを取ることが非常に難しいことがわかったそうです。そこを深く分析し、人手がなるべくかからず簡単に高精度で測量できる取り組みを始めました。

現場の作業は大きく四つの工程に分かれていると同氏はいいます。①調査と測量、②それに基づいた施工計画、③その後の施工、④完成後の検査。これらが現場においてはすべてアナログで、それぞれの工程がつながっていませんでした。結果、作業をつなげるための労力が必要となり、無理と無駄が発生していたのです。材料も、計画上は施工開始時点では十分に揃っていても、工事に入ると日々の施工進捗が正確に把握できずうまく流れません。コマツは建設機械というハードウェアを製造している会社ですが、ハードウェアだけをＩＣＴ化して提供しても工事現場全体の効率化を図ることができないということを痛感しました。

そこで建設現場の地形データをデジタル化して、各工程の無理と無駄を解消することを目指したのです。全工程をデジタルで管理することで、流れを見えるようにしました。たとえばデジタル化したことで、十トンダンプトラックが工事現場でどのように配車され、実際にどのような作業を行っているかを即座に調べることができるといいます。こうして工程を見ていくことで、たとえば土砂の積み込み時にダンプトラックの渋滞が発生してしまっているなどボトルネックとなっている作業を洗い出すことができるのです。

ハードウェアメーカーであるコマツが、工事の最初から最後までの全体を把握するソリューションを提供したことは、サービスを利用する企業が建設のどの工程に問題があるかを知ることにつながります。

そして最適化に向けての取り組みにも尽力しました。それはコマツ以外の他メーカーの建機も、建機以外の多種多様な付属機械も含めて、すべてデジタルで連携させて効率化を図るというものです。コマツだけではカバーし切れない領域のため、一段レベルの上がったソリューションを提供しなければなりません。そこでコマツは工事現場のプラットフォームとしてランドログを設立しました。現場の中にあるすべての機械をコマツ製品かどうかにかかわらず、すべてデジタルでつないで見える化し、さらにサービスを追加する取り組みだといいます。(図)

コマツが用意したのはプラットフォームであり、自社以外の会社でもそれを利用して様々なサービスを提供することができます。ものづくりの会社は、自前で何でもやろうとしがちですが、コマツの発想は違いました。自前でカバーできないことは社外のパートナーと連携することでスピード化を図るのです。ここがランドログ成功のカギだと冨樫氏は胸を張ります。

安全で生産性の高い未来の現場
iコンストラクション／スマートコンストラクション

既存アプリケーション

SMARTCONSTRUCTION

スマートコンストラクションアプリ

お客様システム

プロバイダーが開発する
アプリケーション

新たなサービス

保険／ERP

API

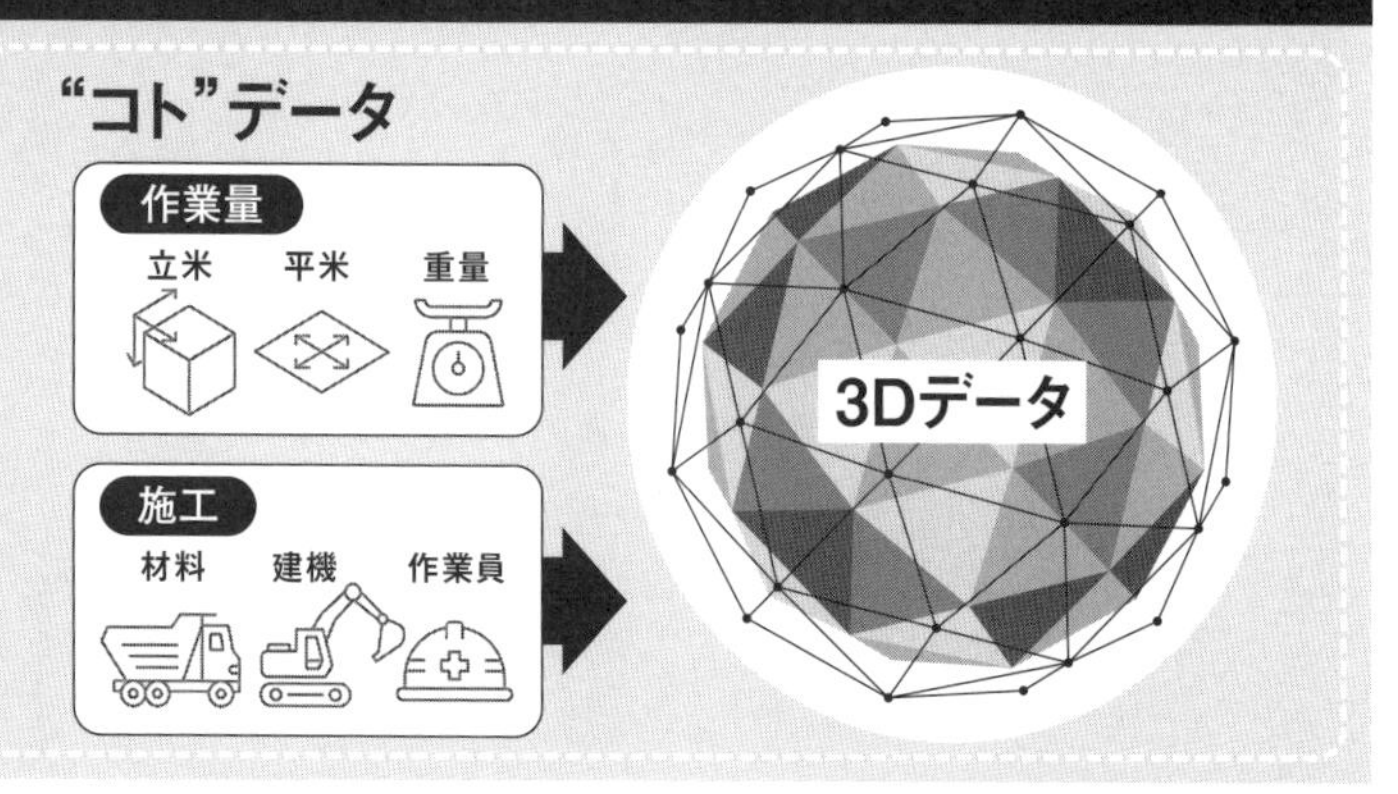

出典：株式会社小松製作所

ランドログの解説

日々地形情報
動線解析情報
Edge処理
車両情報
車両移動軌跡／積込土量
計測情報
3Dスキャナー／ドローン／ステレオカメラ
建機稼働情報
KOMTRAX
ISO 15143-3
AEMP
建機
作業実績情報
ICT建機
関連情報
ドラレコ／経営管理データ

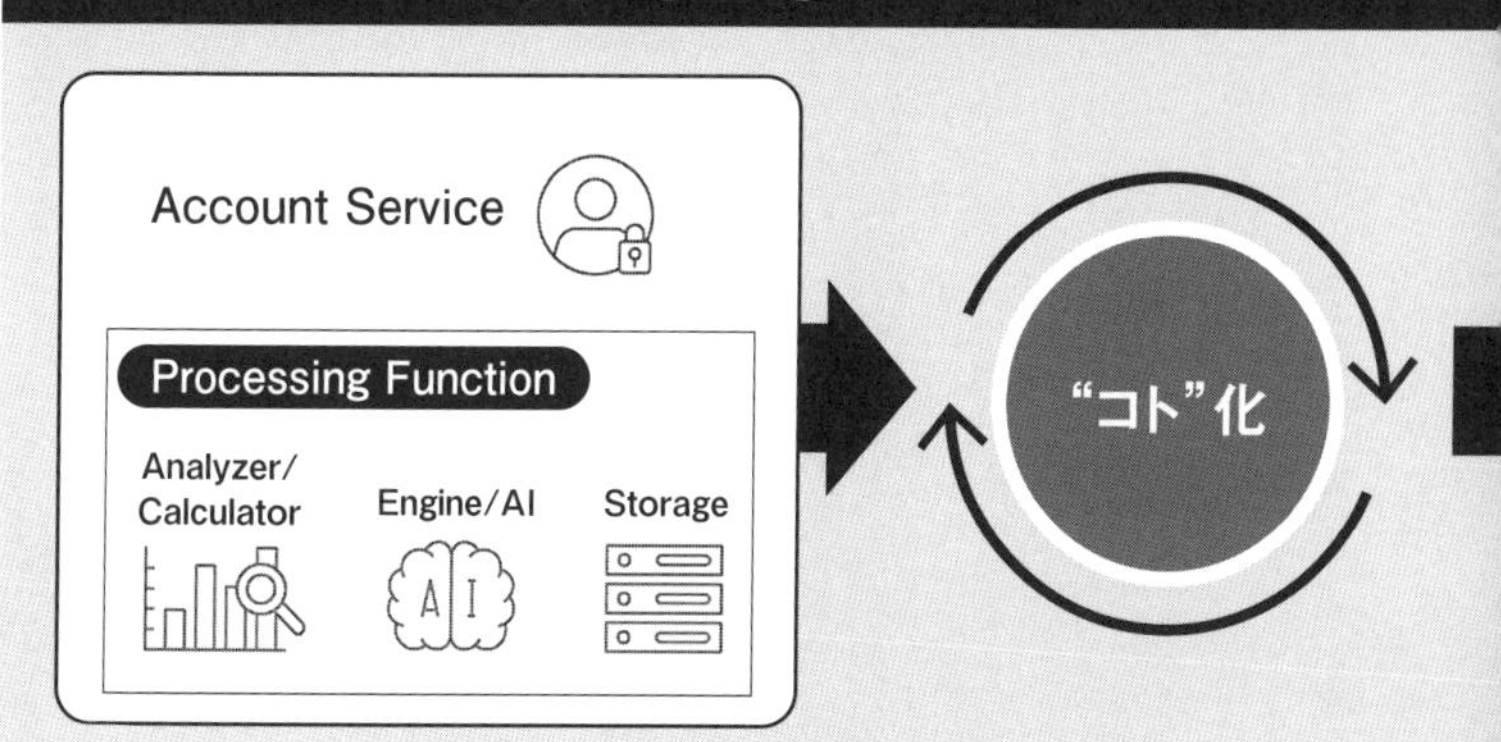
API
Account Service
Processing Function
Analyzer/
Calculator
Engine/AI
Storage
“コト”化

ＤＸができる社風

ここまででコマツの具体的な取り組みがわかったと思います。ただ、企業がＤＸを進めるためには計画を立てる以前の段階から、多くの課題があることも確かです。社外とうまく連携することも難しいのですが、社内を説得するのはもっと難しいということが日本企業特有の問題かもしれません。コマツの場合はどうだったのでしょうか。

「コマツではここ何代か六年ごとに社長が交代していますが、いくら交代してもトップが率先垂範するという経営方針はまったくブレません。トップがこれからはデジタルトランスフォーメーションをどんどん取り入れていかないと土木業界・建設業界は成り立たなくなると考えて、率先して推進をしています。私からももちろん様々な提案をしていますが、その提案によってどんどん進めていくというより、トップ自らがやらなければならないという強い意志を持ってやり続けてきたのです」（冨樫氏）

しかしトップが率先垂範しても、現場が動かない会社が数多くあることも事実です。さらに続けて、どのようにして現場にここまで意識を浸透させていったのかを同氏に伺いました。

「まずは早期に目標を達成することが大事です。その点をトップが理解して自ら推進しているから、会社の本流（筆者注：櫛田氏のいう「大きなハサミ」）も動きが速い。それから実際に様々なパートナーの多様な技術を活用して社会実装を実現する部隊が確実に動かなければなりません。たとえばスマートコンストラクションだと推進本部があって、そこがフットワーク良く動きます。私は必要な技術を見つけてきて、それをスマートコンストラクション推進本部に渡し、推進本部がそれを形にしてコマツの商品としてお客様に提供します。このサイクルが非常に速いのです」（冨樫氏）

成功事例を早期で作ることが、社内で認めてもらい協力者を増やすカギだとよくいわれます。ただ言葉では簡単でも、コマツのようにトップがリソースを用意すること、そのリソースをもとに素早く行動に移すことができる優秀な人材を持っていること、この二つが満たされて初めて可能なことです。

実際にはどのぐらいのスピード感で動いているのでしょうか。冨樫氏がシリコンバレーでドローンの会社と初会合したのが二〇一四年八月。そして二〇一四年十月にはトップ層がドローンの会社と会い、翌十一月に契約を完了しています。二〇一五年一月にはスマートコンストラクションのプレスリリースを出して、二月からスマートコンストラクション推進本部が発足し、本格的に活動開始したのです。技術を見つけてから事業開始まで半年というと、このスピードの速さがおわかりになると思います。

ブレずに変化する

コマツのトップはブレないという説明がありました。ですが、過度に「ブレない」ようにすると、世の中の変化に対して頑固に対応しないことにつながりかねません。変化に対応するためのＤＸですが、ブレないことと変化に対応することを両立することは意外に難しいことです。この二つをどのように両立させているのでしょうか。

コマツは一九二一年の設立以来、建設・鉱山機械ビジネスが事業の圧倒的な中心であり、ビジネスドメイン[※1]が非常にわかりやすい企業の一つです。

そのコマツにも何度か、外部環境変化に伴う事業改革を進めた時期がありました。

・一九六三年：貿易自由化による日本市場での外資との競争
・一九七〇年代：輸出拡大
・一九八〇〜九〇年代：海外生産拡大と多角化
・二〇〇一年：初めての営業赤字を背景に実施された第一次経営構造改革
・二〇〇七年：第二次経営構造改革

・二〇一三年以降：スマートコンストラクションをはじめとするイノベーション

これらの中で特に、一九六三年の貿易自由化による日本市場での外資との競争期と、二〇〇一年に初めての営業赤字を背景に実施された第一次経営構造改革が、コマツにとっての画期だったと冨樫氏はいいます。その中でコマツは、ものづくり企業として品質にこだわる重要性と事業会社として注力すべきポイントは何かをつかんだのです。

それはビジネスドメインをブレさせることなく、時代に合わせて対応力を強化していくことでした。あくまで建設・鉱山機械ビジネスを追求しますが、ハードウェア製造といったものづくりだけでなく、時代が求めるのであればデジタルを活用したソリューションも提供していくということです。「両利きの経営」のお手本のような理念だといえるでしょう。

コマツは現在、ＩｏＴ分野で市場から高い評価を得ていますが、これは新事業分野に進出したわけでも、飛び地のビジネスを新設したわけでもありません。あくまでコマツのビジネスドメインの核は維持したままで、時代に合わせて対応力の強化を図っているのです。

二〇〇八年から商用化した無人ダンプトラック運行システム（ＡＨＳ）も、二〇一五年より開始したスマートコンストラクションも、二〇一七年より提供開始したランドログも、事業ドメインは維持しながら、時代の変化に合わせて対応力強化を図った結果生まれた事業だといいます。そしてこれらの事業が成功し、市場から高い評価を得たことで、コマツ社内でも成功体験として認知され、社員のベクトルが合わさっていきました。

ブレないという意味では、コマツではコマツウェイ（創業者の精神をベースに先人たちが築き上げてきたコマツの強さ、強さを支える信念、基本的な心構えと持つべき視点、それを実行に移す行動様式〈スタイル〉を明文化したもの）とＳＬＱＤＣ（Ｓａｆｅｔｙ　ａｎｄ　Ｈｅａｌｔｈ＝安全・健康、Ｌａｗ＝法令、Ｑｕａｌｉｔｙ＝品質、Ｄｅｌｉｖｅｒｙ＝納期、Ｃｏｓｔ＝コストの順番に優先順位をつけること）の二つはグローバルに浸透していることだと冨樫氏は補足します。これらが徹底されることは、従業員のトップへの信頼感と仕事をする上での安心感につながるのです。その信頼感と安心感があるからこそ、トップダウンの浸透も早いのでしょう。

ＶＣとの情報交換

冨樫氏はシリコンバレーだけでなく、世界中を飛び回って数多くの最新技術をその目で見ています。そのすべてを役員に提供するわけではなく、コマツとの相性と相手の会社が持つ技術力を総合的に吟味して、役員に見せるものを判断しているのだそうです。

この判断は冨樫氏自身が長年努力して、技術の目利きとしての能力を磨いてきたからこそできることですが、自分の力だけではなくVCを上手に活用することも欠かせないといいます。

「VCは最先端のスタートアップと常に交流をしているから、市場動向にも技術動向にも最も敏感な人たちが集まっています。彼らと日々会話し情報交換することで、私たち事業会社にとって最も重要な市場と技術の変化への理解が深まり、先読みすることが可能になるのです。そして、情報は一方通行ではありません。VCも私たち事業会社がどのようなビジョンを持ち、その実現のためにどんな技術を探しているかに関心があります。私たちがビジョンを語り、VCからそのビジョンが実現できそうな技術の情報を貰う、という双方向の会話をし続けることが大事です」（冨樫氏）

第六章で、ビジネスの中心にVCがあり、メンバーはみな人脈豊富だという話が出てきました。これは情報も彼らに集まってくるということであり、冨樫氏はそれをうまく活用しているわけです。ドローンの会社を探したときも、VCにコマツが探しているものをしっかり伝えて、彼らと一緒にシリコンバレーを行脚したといいます。

VC選びのポイントについても聞いてみました。

「GP（無限責任組合員）がVCを主導していますが、そのGPがどんなビジョンを持っていて、どんな人たちがいるのかを最初に見ます。そしてそれらとコマツが持っている将来像がどれだけ相性がいいかで判断するのです。この世界は信頼性と透明性が大事なので、GPが個人としてシリコンバレーでどれだけ信用されているかも重要です。GPがVCの情報ネットワークの中で信頼されていて、

そのネットワークのハブになっているかどうかを重視しています」（冨樫氏）

一方、コマツは現時点ではＣＶＣを立ち上げていません。

「コマツは建設・鉱山機械の会社であり、この分野では幅広く事業を展開しているとはいえ、ビジネスドメインがある意味限定されています。仮にＣＶＣを設立して、シリコンバレーに事務所を構えたとしても、その事務所にどんな人が来て、どんな情報をもたらしてくれるというのでしょうか。それよりもすでに名が通っていて、様々な人がひっきりなしに訪れるＶＣと組むほうが、圧倒的にメリットがあると判断しました」（冨樫氏）

テクノロジーを担う人材の適性とは

テクノロジーを見極めるには、ＶＣの力を借りることが重要であるということはもっともです。しかし、自分自身でテクノロジーを見る目も同様に必要で、こうした能力には何が必要なのでしょうか。

「技術スカウトという私の役割を果たすためには、常に多様なアンテナを張って市場と技術の両方の進化をウォッチし続けることが大事です。同時に社内の役員や事業部門のトップと常にコミュニケーションを図っています。会社の方向性やこれから展開しようとしているビジネスについて社内のキーパーソンと話すことで、コマツの将来像が見え、その実現に必要な技術の要件がわかります。その要件に対して、コマツの技術でカバーできない領域を切り分けます。それを世界中のスタートアップや研究機関、あるいは大手企業にないか探しに行けばいいのです」（冨樫氏）

つまり最も重要な能力は、社外と社内の双方に対してしっかりコミュニケーションが取れるかという単純なことだと、同氏は説明します。

そしてこれを実践する上で忘れてはいけないこととして、冨樫氏は「社内と社外の世界を分離しないこと」と続けてくれました。※2 オープンイノベーションのためにシリコンバレーなどの国外と接点を作ろうとなると、多くの日本企業はそこにオフィスを作って数名の社員を駐在させて、あくまで本体は日本という考え方をします。そうすると物理的に距離があるため、情報を送っても本社ではその重要性をなかなか認識できません。情報を消化吸収するのにも時間がかかってしまうのです。

コマツの場合は、（取材時はコロナ禍で中断していましたが）冨樫氏が出張で世界をぐるぐる回っています。出張にするメリットは、世界の最先端の情報を対面で得てすぐに日本に持ち帰り、まだ新鮮なうちに本社で役員メンバーに直接伝えられることです。直接役員と話をすることで、世界の最先端情報を伝えることが容易になります。また役員のやりたいこともほぼリアルタイムに理解できるので、的確な技術を探すことができます。

ただ話を聞けば簡単なようにも感じますが、こうした役割を担う人材には本来、才能が必要なことは間違いありません。社内で冨樫氏のような人を育てたい場合には、どのような取り組みが必要なのでしょうか。

「どういう人が最新技術のスカウトに向いているのかは正直見極め切れないところがあります。そこで各事業部で技術者として活躍している中堅社員をCTO室に数年単位で異動させるという社内ローテーションを実施しています。数年間経験してもらって本人の希望を聞きながら適性があるかどうかを一緒に仕事をしながら見極めるのです。CTO室と相性がいいと思った人が見つかれば、この仕事をずっと続けてもらいます」(冨樫氏)

そして適性があると考えられるのは以下のような人だといいます。

①世界中の上下左右に網の目のような人脈ネットワークを形成できるような積極的で前向きに物事を考えられる人

②飽くなき探究心を持っていること

③趣味的なものでもいいのでここだけは負けない分野を一つ持っていること。社内でこれについて聞くならこの人だといわれるものがある人

さらにみなが同じような個性ではイノベーションを起こすのは難しいので、CTO室が多様性のある組織になるように社としても配慮しているそうです。

そして、それでも会社の中で人材が見つからない場合には、社外の人材を招き入れるしかないと冨樫氏はいいます。たとえばランドログの社員の大半はコマツ出身者ではありません。代表取締役社長の井川甲作（いがわこうさく）氏も例外ではないそうです。

DX推進においては、適性のある人物・技術が社内になければ、外から招き入れることをためらわないことが大切だと同氏は考えます。

製造業はモノづくり会社ではない

冨樫氏は、日本の製造業について、モノづくりが強くてもコトづくりが弱いと指摘します。「モノ」と「コト」の両面からビジネスを作り上げることを、コマツでは「モノ・コト戦略」と呼んでいます。

たとえばコマツではスマートコンストラクション以前にも、二〇一三年にはブルドーザー、二〇一四年には油圧ショベルをそれぞれデジタルで半自動化しました。しかし日本国内の市場ではほとんど浸透しなかったそうです。それは単なるモノづくり戦略だったからだと冨樫氏は分析します。

この経験をもとに現場全体の生産性・施工オペレーションに目を向けたのが、二〇一五年から開始したスマートコンストラクションです。この技術がどれだけ業界に革新をもたらしたのかを前述しましたが、この成功の理由はたとえば一カ月かかる工事が二〜三週間で終わるという「コト」に訴求したからです。顧客にどれだけの利益が出るのか、どんなビジネスメリットがあるのかという部分をわかりやすく提供した技術こそが、スマートコンストラクションでした。

この技術によって工事全体に変革が起こり、顧客の心を掌握するに至りました。土木建設の施工管理はこれまで長くアナログな世界であり、途中の記録といっても写真が残るぐらいです。それまではデジタルな記録など残っていなかったといいますが、スマートコンストラクションがこうした現状を変えました。すると今回の工事だけではなく、今後の工事の土台として使えるデータも残ることになります。これは顧客にとって大きなメリットです。

さらにその後、行政にも大きなメリットだと知れ渡り、同技術は業界だけでなく社会全体に大きなインパクトを与えました。発表の翌年にあたる二〇一六年四月に、国土交通省がほぼ同じコンセプトでi-Construction[※3]を発表したのです。スマートコンストラクションは正しい方向性だとお墨付きを貰ったようなもので、普及はさらに加速しました。

そして、モノ・コト戦略を実現する技術として、今冨樫氏が注目しているのがデジタルツインです。これは現実空間にある機械や設備の稼働状況をデジタルデータとしてリアルタイムに収集し、コンピュータ上の仮想空間で再現する技術です。これをもっと深く掘り下げようと取り組んでいます。デジタルツインによって、現実に起こっているコト、たとえば岩石や土砂の実際の動きや、オペレーターの操作行動などをデジタル化して蓄積し、解析できるようにする、ということを考えています。

なおモノ・コト戦略においては、コンセプトビデオなどを作成して、視覚的にビジョンを共有することがとても役に立つと冨樫氏はいいます。これは社外にビジョンを訴求する場合にも、社内のベクトル合わせにも役に立つそうです。短時間で具体的な像を見せることで相手の心に響かせることもDXを推進する上で重要なことなのです。

自分から業界を破壊せよ

DXを進めていくには、ブレない考え方といったマインド面も非常に重要です。インタビューの最後にコマツはどういう思いでDXを進めているかを尋ねました。

まず、建設・鉱山業界は安全性と生産性に課題があるといわれてきた業界であるという前提の下、「その課題をどう改善するかという強い思いがずっとある」と冨樫氏は言いました。

そして、自らが破壊者になる意志が大切だと続けます。自分たちが破壊しなくても、まったく予期せぬ第三者が、業界に飛び込んできて業界を変えてしまう可能性が常にあるためです。自ら将来のビジョンを描いて破壊者にならないと、新たに参入してきた者によって飲み込まれてしまうのではないか、とコマツと冨樫氏は常に危機感を持っています。

社会課題を解決するために自らが破壊者になっていく。大切なことはスピードです。そしてこれを追い求めていったところ、自社ですべてやるというこだわりを捨てて、社外のパートナーを集める必要が生まれたのだといいます。

「手段にはこだわりません。事業提携でもいいですし、M&Aで仲間になってもらう方法でもいいでしょう。事業提携によるエコシステム作りにおいては、コロナ禍という厳しい状況も決して向かい風ばかりではないのです」（冨樫氏）

最も大切なことは、ビジネスの将来像を明確に描くこと。そしてそれをわかりやすく伝えることです。ビジョンを描くためには、どこに社会課題があるかを掘り下げて考える必要があります。そして実現のためには、自社だけでなくみなで解決を目指そうという姿勢が大切です。最終的には顧客にどのような価値やメリットを提供できるのかを共有することも求められるでしょう。

ビジョン・価値・使命といった信念こそが企業の存在理由であることを冨樫氏は伝えてくれました。これ自体は、テクノロジーが浸透する以前から変わらないはずです。しかし存在を認められ続けるために時代に合わせた変革が必要であり、それが現代ではＤＸなのです。これを推し進めるという決意を持つことが、何よりも重要なのではないでしょうか。

本章のおわりに

これまでの章にも共通するところですが、冨樫氏の話を聞いて危機意識が何よりも重要だと感じました。競合他社がいて、（二〇〇一年に）自分たちが赤字になってしまって、そこから強い危機感を持ってどうあるべきかを真剣に考えたのがコマツです。

ビジョンを作って会長や社長、役員の間で共有し、さらに攻めの経営、テクノロジーの推進に取り組むためにCTO室を稼働させています。そうした点が、うまくいった理由だと思います。拠点は石川県の企業ですが、売り上げは海外がほとんど。グローバルな視点を持っていて、競合は日本じゃないというところも大事な点です。

冨樫氏はいってしまえばスーパーマンです。彼のようになろうと思っても、なかなか難しい。ただ、向き・不向きはあると思いますが、好奇心旺盛な人が求められていることはおわかりいただけると思います。

好奇心旺盛な人を育成するのは難しいと思いますが、そういった人材を経営の柱となるコミュニケーションを取れるポジションに据える社風を作ることは可能ではないでしょうか。これはいわば社内の文化です。そういった体制を会社の中に作ることが大事なのだと考えます。そういった人を引きつけて、かつ活かせる環境作りが今の日本には大切なことなのです。

※1　ビジネスドメイン

事業ドメインとも呼ぶ。企業が経済活動を展開する事業の領域。もしくはその企業における主力事業が経済活動を行う領域。

※2　オープンイノベーション

二〇〇三年に、ヘンリー・チェスブロウが提唱。自社だけでなく社外からのアイデアや、サービスを組み合わせ、革新的なビジネスの構築につなげるイノベーションの方法論。社外には企業だけでなく、大学や地方自治体などあらゆる人と組織を含める。

※3　i-Construction

国土交通省が掲げる建設生産システムにおける取り組み。ＩＣＴの全面的な活用など、テクノロジーを用いた施策を建設現場に導入することで、システム全体の生産性向上を目指す。

第　八　章

スタートアップ
最新テクノロジーを
取り入れる

連携の必要性

第六章ではＤＸとは何かを説明し、第七章では実際の成功例を紹介しました。ＤＸがどういったものなのか、ご理解いただけたでしょうか。

そしてお気づきの通りＤＸへの近道は、先端的なテクノロジーに強く、その開発に取り組んでいるスタートアップと連携することです。日本のスタートアップにも優秀な会社は多数あります。しかし世界の最先端テクノロジーを取り入れるためには、シリコンバレーのスタートアップを選択肢から外すわけにはいきません。そして日本企業はここでも弱点を抱えています。

日本の企業、特に大企業はシリコンバレーのスタートアップとうまく連携ができないといわれているのです。それはなぜなのでしょうか。この章では、シリコンバレーにおいて日本企業とスタートアップの協業案件を数多く手がけてきた野村佳美(のむらよしみ)氏にお話を聞いてこの問題を考えました。一見すると経営陣向けの話だと捉えられるかもしれませんが、決してそうした層の方だけに伝えたい話ではありません。これまでも述べてきたように、デジタル化とは社内全体で取り組むべき課題だからです。

野村佳美　*Yoshimi Nomura*

DNX Ventures Director of Partnerships。2016年8月より現職。前職では、経営企画室にて新規事業開発、営業などを担当。MBA留学中にインドで社会貢献ビジネス、シンガポールではヘルスケア関連のスタートアップの戦略策定に関わり、その後シリコンバレーへ移住。現在はパートナー企業とアメリカのスタートアップとの協業を通したイノベーション関連プログラムの企画・策定・実行に携わる。ミシガン大学ロス・スクール・オブ・ビジネス（MBA）修了。

スタートアップエコシステムと大企業の役割

まず、大企業がシリコンバレーのスタートアップ協業を進めていく前提として、現地のスタートアップエコシステムを理解することが必要だと野村氏はいいます。エコシステムとは、スタートアップと投資家だけで形成するわけではありません。スタートアップ向けに会計や法務などのサービスを提供する企業・大企業・教育機関などのプレイヤーも含まれており、それらに関わる優秀な人材・資金・イノベーションを受け入れる文化といったものが、システムを機能させているといわれます。

この中で大企業に期待される役割はいくつかありますが、ビジネスパートナーとしての役割について野村氏に言及していただきました。スタートアップのビジネスパートナーというのは、スタートアップのプロダクトを導入して利用するという最もシンプルなところから、販路提供、製品の共同開発、技術提携、生産提携、そして資本提携やM&Aなど幅広くあります。

ここで、大企業がスタートアップ協業を検討する際に、相手にしてもらうには出資が必須だと思っているということをよく聞きます。ただ、実は必ずしもそうではないことを野村氏は指摘します。

「優秀な起業家や将来有望なアーリーステージのスタートアップほど、早期の資金調達での出資を望みません。なぜなら特定の事業会社の色がついてしまうとその後のビジネス拡大の可能性が狭められてしまうと考えるためです。また、シリコンバレーには資金面以外でスタートアップの成長を支援できるリソースを持つVCが多くあるため、事業会社に資金ありきで関係構築を望むケースは多くないといえます。それよりも、事業会社が貢献できることは、自社が顧客になったり、流通網や顧客チャネルを提供したりすることです」（野村氏）

それ以外にも研究開発施設の提供や企業としての信用・ブランドなど、事業会社がスタートアップに提供できることは多くあるといいます。スタートアップと付き合う際に、自社が彼らに対して何を提供できるか、前もって整理しておくことが重要です。

スタートアップの生態

そもそもの大前提として、大企業とスタートアップは同じ「企業体」でありながら生態としては大きく異なるということを、理解しておくことが必要だと野村氏はいいます。

大企業はその歴史の中で築いてきた事業があり、資金面を含めて盤石な体制のもと製品力やブランドの維持・向上を基軸に意思決定をします。イノベーションの在り方も、自社の事業領域もしくは隣接領域にある段階的なものを中心に行うのが通常でしょう。

一方で、スタートアップは今世にないものを作り出すということを前提として活動しています。彼らにとっては、破壊的なイノベーションで世界を変えることや、社会課題を解決することこそゴールなのです。しかしアーリーステージのスタートアップは一年から二年に一回程度は新たな資金調達が必要という前提ですので、基本的に資金にも人材にも余裕がありません。彼らにとってはスピードが第一です。一切の無駄なく製品開発して突き進んでいく必要があるため、製品の質は粗くなります。

「大企業はスタートアップの製品に対しても、自社並みの完成度を求めがちですが、評価すべきはそこではありません。スタートアップの提案する製品やソリューションが自社や顧客の抱える課題を解決しうるものなのか、というコンセプトであるべきなのです。その可能性に向けて一緒に進んでいくパートナーとしての立ち位置を取らなくてはなりません」(野村氏)

こうした根本的な違いを理解した上で、大企業としてはスタートアップの成功を支援するパートナーという姿勢で協業検討・提案をしていくことが重要なのでしょう。

日本企業が抱える最大の問題

さらに野村氏は、日本企業が陥りやすい問題を指摘してくれました。

「スタートアップと連携するに当たって、目的やゴールが不明瞭なのが一番の問題です。何か新しいことをするためにスタートアップと協業するというのが、企業にとって共通する目的だと思います。

しかし、それ以上の深いゴール設定がきちんとされていないケースが多いのです」（野村氏）

協業案件検討の際、まずはＰｏＣ[※1]（Proof of Concept：概念実証、実証実験）から入るというのが一般的です。スタートアップからすると、結果が立証できれば次のステップ、すなわち事業化に進むものと考えています。ところが大企業側のゴールがＰｏＣをすることに留まっていることが多く、次のステップに進めないケースが多いのです。ここにまずギャップがあります。

ＰｏＣがゴールになってその先に進めない理由は様々ですが、その先にスタートアップと何をしていきたいかというビジョンが描けていないケースが多いのだといいます。ビジョンは生き物です。なので、時間の経過で変わっていくことは当然だと考えられます。したがって簡単なことではありませんが、五年先、十年先の将来像をひとまず描き、その上で個別の案件についてゴールを設定することが、スタートアップと付き合う上では重要なことなのです。

その上である程度のタイムスケジュールを立て、スタートアップと共有することが必要だと同氏はいいます。そして成果を測るための測定指標と目標値を準備し、さらにそれがうまくいったらどうするかのシナリオを持ってＰｏＣに臨まなくてはいけません。

また、ＰｏＣの結果、次のステップへ進まないという判断をする場合にも、なぜそういった判断となったのかを大企業側が整理する必要があります。プロダクトのパフォーマンスがまだ実装できる段階ではなかったのではないかなど、足りなかったものを探さなければいけないのです。さらに、Ｐｏ

Cの結果を評価した上で不十分な点が見つかった場合には、改善すれば再検討の余地があるのか、それとも、そもそもの顧客の課題を解決するソリューションとして方向性が合っていなかったのではないかということも検討し、スタートアップへフィードバックすることが非常に重要となります。

仮にPoCのあとビジネスにつながらなかったとしても、スタートアップ側にとって実施したPoCが単なる時間と労力の無駄に終わってしまったという事態があってはなりません。その後のスタートアップの製品・ビジネス構築に活かせる学びがあったと思えるようなフィードバックを大企業側が返せるかどうかが大事だと同氏は主張します。エコシステムのプレイヤーとして、役割を果たすという意味でも、ここは大企業の技量が試されるところでもあるのです。

「ピッチャー・キャッチャー問題」を解決するには

シリコンバレーなどの駐在先にいる社員をピッチャー、本社をキャッチャーにたとえて、駐在員から投げられた改革提案を本社が受け止められないことを、「ピッチャー・キャッチャー問題」といいます。シリコンバレーで日常的に世界の最先端のテクノロジーとビジネスを目の当たりにしている社員と、それを対岸の火事のように思っている日本本社とでは、危機意識がまったく違うのです。そのためこの問題は日常茶飯事です。

この問題を少しでも緩和するためには、大企業側はスタートアップのために、たとえば秘密保持契約書の雛形を用意しておいて、何かやりたければ、すぐに秘密保持契約を締結できるようにするなどの準備をしておく必要があります。

とはいえ大企業がスタートアップと同じスピード感で動くのが難しいことは、スタートアップ側もよく承知しています。彼らは、時間がかかること自体を全否定することはありません。そこは誤解しないでいただきたいと野村氏は指摘します。

「ただ、短期間で会社を急成長させる必要のあるスタートアップからすると、協業検討先の大企業から何の音沙汰もなければ、ただじっと待っていることをせずに素早く動いてくれる別の協業相手を探すということはあたりまえの動きです。最後の会話から一、二カ月経ってスタートアップに連絡をしたらもう返事が来なくなってしまった、などはよくある話です。ですので、全体のタイムラインにどういうマイルストーン[※2]があり、現在どの地点にいるのかを、大企業の窓口がスタートアップへこまめに知らせることが重要なポイントです」（野村氏）

このような配慮がどの企業もなかなかできません。企業からの返答に二、三週間も経ってしまえば、イライラの限界に達したスタートアップがそっぽを向いてしまうことは当然でしょう。こうしたもったいないケースが、実際に結構な数起こっているのだと同氏は嘆きます。

これも何度も述べてきたことですが、ビジネスとは結局のところ人間と人間の関係です。密にコミユニケーションを取って信頼関係を築いていくことが、最も重要なことなのです。

また、シリコンバレーへのアクセスを作るという意味では、スタートアップに直接出資するのではなく、VCに出資をし、彼らを介して間接的に関係を築く方法もあります。この場合VCは、シリコンバレーで形成されているコミュニティの一員になるためのアクセスポイントとなるでしょう。

スタートアップとの連携は、トップダウンで進めるのが最適であることは当然です。そして、このように進めるためには、スタートアップとの連携窓口がトップを納得させることが重要となります。したがってスタートアップに出資する場合も、それで終わりではいけません。出資後も、そのスタートアップを事業面でサポートしていく人を置いておくことが求められるのだと、野村氏は主張します。

コマツの事例では、役員以上の人がシリコンバレーに来て、直接スタートアップと面会するという話をしました。このような体制を作ることができれば最高です。スタートアップの士気向上にもつながりますし、本社の役員をスタートアップの応援団にすることもできます。

シリコンバレーに行くとなったら？

シリコンバレーに社員を駐在させる際に、自社オフィスを設置する方法があります。しかしスペース代が高いことと、自社オフィスだと外部の人々との接点が少なくなりがちなので、野村氏は、VC

と提携するならそのオフィスに常駐させてもらうか、コワーキングスペースを借りるという方法を取る日本企業が多いのだといいます。

コワーキングスペースなら、違う会社の人たちと席やオフィスを並べて座ることになるので、自然とオープンイノベーションの機会が醸成されるのです。自社オフィスだと自主的に外に出て人に会いに行かないと人脈ができません。これは手間がかかりますし、行き先を探すのもシリコンバレーをあまり知らない段階だと大変なはずです。

外部の人間と接することができる環境に身を置くという意味では同じでも、コワーキングスペースとVCのオフィスでは大きな違いがあるともいいます。コワーキングスペースの設置者の狙いは、大きなスペースを用意して、多くのスタートアップを囲い込むことです。したがって、ここに場所を借りれば、多くのスタートアップと直接出会うこともできます。VCの場合は、数よりも深さがメリットです。VCは個々のスタートアップとのコネクションが深いので、スタートアップとの関係をアシストしてくれます。彼らの知見も共有されますので、知識も自然と身についていきます。

シリコンバレーに行くべき人材

企業として実際にシリコンバレーのスタートアップと協業したいと考えたとき、どういう人を駐在員として送り込むべきでしょうか。最初の一人と、それ以降の人とに分けて考えたほうがいいと野村氏はいいます。

英語力はもちろん必要ですが、それよりも最初に送り込む人はパイオニア的な存在であることがより重要です。

「新しいもの好きで、物怖じせずに自社の強みと足りない部分をコミュニケーションしながら、開拓していける前向きな人が合っていると思います。できれば社内組織に詳しく社内政治に長けた人がいい。社内のどこにどういうボールを投げたら刺さるか理解している人が好ましいです」（野村氏）

初代は風穴を開けないといけないので勢いのある人が最適だといいます。そして二代目、三代目は社内で組織化していくことが求められますので、「戦略的・分析的でプロセスを作っていけるタイプの人がいい」と同氏は続けます。

どういう役職の人が行くのかは会社によって違いますが、役員レベルの方が赴任してくれれば強いインパクトを残せます。自社内にも強い影響を与えることが可能で、スタートアップ側にもコミット感が伝わるので、これができるに越したことはありません。

実務面では、部長レベルの人材を初代に送り込んで、基盤をしっかり作った上で人数を補強していく会社もあります。また営業力のある人と研究開発系の人を一人ずつ呼んで、ビジネス面と技術面のバランスを取りながら組織を作っていく会社もあるでしょう。

本社側の窓口は、経営企画部になることが多いようです。最近ではDX推進室といった新興部門の場合もあります。いずれにしてもシリコンバレー側はあまり部門の違いには関心がありません。どういう人物が来たのかに関心があるのです。

ただ経営企画部の場合、気をつけなければならないのが、投資銀行などから紹介されるM&A案件とベンチャーとの連携を同じように考えてしまいがちなことです。「大した金額にもならないベンチャー連携で、なんでこんなにがんばらないといけないんだ」「売り上げはいつ立つんだ」「タイムラインが長すぎるのではないか」という話になってしまうことがよくあるのだと、野村氏は説明します。

すでに収益が上がっている事業を買うのと、これから収益を作っていくスタートアップと付き合っていくのはまったく別物です。そこは意識しておかなければいけません。

期間や人数の考え方

「駐在する期間は、同じ人が長くいればいるほどいいのは間違いありません。しかし事業会社の人事サイクルは基本的に三年から四年です。人脈は引き継げないのでもったいないのですが……」（野村氏）

実際に日本企業がシリコンバレーでどのような体制を取っているのか見てみましょう。できる限り人脈を引き継ごうということで、最近多いのは、帰国前に具体的なプロジェクトを立ち上げて、それを引き継ぐやり方だといいます。後任者と一緒にプロジェクトを行う期間を設けて、後任者がウォーミングアップしながら、人脈ネットワークを引き継ぎつつスタートアップ協業の進め方を体得できるように工夫するわけです。

駐在員を何年目に何人にするかは会社によって違います。

「シリコンバレーに元々営業所などの自社オフィスを設置していないケースでは、最初は一人で開拓し、五年くらいで二人から六人になります。ある大企業はシリコンバレー進出二年目で駐在員を六人に増員しましたが、これは珍しい。別の企業は最初の駐在員が一人で任期いっぱい基礎を作り、初代が帰国するタイミングで二人に増えました」（野村氏）

挙げてくれた実例を見ると、一人で十分だから人数が増えないというケースもありますが、通常は成果が出てきてから人が増えていくようです。

駐在員の決め方も会社によって違います。人事部が独断で決める、社内に公募をかける、駐在員がこれはと思う人を会社と交渉して連れてくる、などのパターンがあります。どの場合でも基本的には、次の駐在員にこういうことをやってもらいたいという期待に、フィットするかどうかを基準に選んでいるのです。

製造業はスタートアップの技術を取り込みながら共同で開発していくので、スタートアップと一対一の関係を作りやすい。しかしテクノロジー開発が本業でない業界では、間にＳＩ企業が入って三社共同で開発するパターンが一般的になります。ＳＩ企業が入る場合は、彼らもシリコンバレーに来て一緒にプロジェクトを進めるパターンが多いのです。

ＳＩ企業の選定については、日本に持ち帰ったときに事業担当に引き継ぐ場合、日本でアウトソーシングしているＳＩ企業にそのまま依頼することが通常です。そして、新規事業として一からスタートする場合には、ＳＩ企業も白紙から選定することが多いとのことです。

駐在員ではシステムの理解に限界があるという場合には、情報システム部門からも駐在員を出す会社が最近は出てきました。特にＳａａＳ系のソリューションやＩＴインフラ関連の場合は、情報システム部門から来ている人がスタートアップの窓口になることもあるようです。

いずれにせよ、テクノロジーに精通した人物が駐在員として出向くのが理想です。

共通の課題、独自の課題

ドイツは、二〇〇三年ぐらいからシリコンバレーのスタートアップと協業するといった活動をしています。こうした国々と比較して日本はどうかという質問に、野村氏は、「国は違っても、スタートアップとの取り組みで抱える課題感は違いません」と言います。

どの国の企業でも、スタートアップとの協業に関して同じような悩みを抱えています。その中で自分たちの価値を見出して、他国や他の企業と差別化していけるかに苦心しているのです。大企業だとスピードが遅い、コロナ不況があってスタートアップから資金も人も引き上げる企業が増えている、CVC担当や役員などが替わると方針が変わってしまう。このような課題はどこの国と地域にも少なからずあることです。ヨーロッパもインドも中国も台湾も韓国も変わりません。

大きな課題はどこの国も大差はありません。しかし、日本はこれに加えて多くの企業で活動規模が小さいと野村氏は指摘します。オープンイノベーションへのつながりの深さは活動規模に比例するので、日本企業はコミットメントが浅いと思われてしまいがちなのです。

アメリカのあるメガバンクは年間百件ぐらいのPoCを実施し、その中から実際に協業するスタートアップを探しています。百件のPoCを実行に移すためには、かなりの数のスタートアップを集める必要があるので、年に一回は三日間の大々的なスタートアップイベントを行って、自社の各部門にテクノロジーを持ったスタートアップを売り込む機会を作っています。それぞれのチームの人数は少ないですが、アメリカに二つ、ロンドンに一つ、アジアに一つといったように複数拠点でイベントを敢行するのです。

このような取り組みをする企業は世界中にあります。しかし同様の取り組みを、たとえば日本のメガバンクが実施している例を、野村氏は見たことがないといいます。イベントを主催することでシリコンバレーでの認知度が上がれば、スタートアップを集めることにも、自社のプロモーションやブランディングにも役に立つはずです。しかし、日本企業はこうしたイベントの開催自体に苦手意識を持っているのだといいます。

さらに、スタートアップに対してどういう価値を提供できるかを、きちんと伝えることも日本企業は得意ではありません。その点についても、欧米の事業会社とは差異があります。

そもそも日本企業は、スタートアップとはどういうものかという理解が不足しているのではないかと野村氏は考えています。「スタートアップとの協業を数件検討してみて、それがうまくいかないとすべてはダメだと結論を出すケースが結構あるのでもったいないのです」と同氏は残念がります。

実はスタートアップの失敗確率は、およそ九〇％だと考えられています。したがって一社としか付き合わないというのは、極めてリスキーであることがおわかりいただけるはずです。複数案件を同時並行で進めながら、トライ＆エラーを繰り返して初めて何件かの成功をつかめるのです。

大企業側に、失敗しても教訓を得ればいいという人事評価や社内文化がないとうまくいきません。大企業の既存事業においてそうした文化は基本的にはないので、社風や文化を作っていく必要があります。そうしなければ、たとえば三年続けても、何も収益が出るような結果につながっていないじゃないかとなってやめてしまうことになります。これがよくあるパターンだと野村氏はいいます。

百社とＰｏＣをやってもうまくいかないなら撤退も考えられますが、そこまでやる日本企業は見たことがありません。三年ほどかけて数件のＰｏＣで失敗したぐらいで撤退してしまうのは、それまでかけてきたコストも時間も全部無駄になるわけで、これほどもったいないことはないのです。

シリコンバレーからの認知を高めた企業

日本国内でなら、比較的大規模なスタートアップ向けイベントを実施している事業会社もあります。日本にも技術力が高い新興企業はいくつもありますから、言葉や文化の壁があるシリコンバレーにわざわざ出かけるより、日本で集めるほうが時間的にも地理的にもコスト的にも効率的だと考えるのでしょう。しかし、それは世界標準から見ると偏りが出てしまい、将来的にはガラパゴス化するおそれがあります。

日本の大企業には、海外でも自社の名前を出せば通じるだろうという驕りは感じられないものの、本気でＤＸに取り組んでいるというコミットメントも感じられないというのが野村氏や私の危機意識です。こうした意識が日本の大企業がシリコンバレーで、存在感が薄いといわれる所以なのではないでしょうか。

とはいえ日本企業でもシリコンバレーでの認知度を高めている企業もないことはありません。野村氏が挙げてくれた例が、二〇一七年にインシュアテック（Insurance〈保険〉＋Technology）関連の

イベントを開催した東京海上日動火災保険です。[※3]

東京海上日動火災保険は二〇一六年にシリコンバレーに拠点を設立しました。

「同社は日本では誰もが知っている損保会社です。それにもかかわらず、シリコンバレーに行けば誰も自分たちのことを知らないとわかり、とても驚いたそうです。これに危機感を抱いた彼らは新しい取り組みに挑戦しました。私たちと共同で『保険×自動運転』というテーマで、保険業界・自動車OEM・インシュアテック関係のスタートアップを招待して、百人規模のイベントを開催したのです」（野村氏）

このイベントでは、当時はまだ目新しかった「保険×自動運転」というテーマでかなり深いディスカッションが行われたといいます。結果、東京海上日動火災保険はシリコンバレーでの存在感を作り出すことに成功し、まだ拠点設立一年ぐらいだったのに、その年に組んだスタートアップとのパートナーシップの数が複数件というすばらしいスタートが切れたのです。

このような自主開催のイベントでインパクトを与える取り組みが、日本企業にはもっと必要なのではないでしょうか。イベントを企画することで自社が探しているものも明確になり、シリコンバレーでの活動の方向性を整理することができるという副次的な効果も望めます。

日本企業へのメッセージ

ここまでは都内の大企業を中心とした話を伺ってきましたが、野村氏に地方企業についても尋ねました。地方から海外に出てくる企業は、その地方を挙げてスタートアップと上手に連携できる可能性があるのではないかと同氏は考えるそうです。

東京だと大企業が乱立していますが、地方であればその町にとってもメリットがあれば、町一つをＰｏＣの実験場として使うこともできるというメリットがあります。それがシリコンバレー側から見ると魅力となる可能性があるのではないか、というアイデアです。

また対談の最後には、すでにシリコンバレーに進出しているのに、コロナ禍で内向きになりそうな日本企業に対してメッセージを貰いました。

「ウィズコロナの世界ではスタートアップへの投資やパートナーシップの手を、緩める日本企業が多いようです。この状況で、スタートアップも勝ち組と負け組に分かれています。ただ、この状況下でも勝ちを収めているスタートアップが出てきていることは確かです。一瞬目の前が暗くなったからといって、五年後十年後を見据えた新たな事業会社の創出から手を引いてしまうと、今までのことがすべて水の泡どころかマイナスになってしまいます。このようなときだからこそ、必要であれば注力す

る領域を再定義した上で、攻めの姿勢で活動を進めていくべきだと考えます」（野村氏）

本章のおわりに

野村氏の話の中でスタートアップとの付き合い方をおわかりいただけたと思います。その中でも私が特に大事だと思うのがリスペクトの姿勢です。

スタートアップは生まれたての企業ですので、規模が小さい会社です。しかし小さいからといって下に見ないことが大事なのではないでしょうか。日本には、大企業の社員だからといって上から目線の方が目立ちますが、どんな大企業も元はスタートアップだったはずです。

さらに今では大企業のエース級の人材が外に飛び出して、チャレンジしていることもあります。経験を積んだその道のプロともいえる人物が、外にもいるということを覚えていてほしいのです。同じ土俵で対等に話をするという意識を持ってください。そしてそうはいっても、スタートアップは半年先にキャッシュがあるかわからない状態なので、企業にとっての数カ月が、スタートアップにとっては何年というインパクトがあるということを考えながら連携していく必要があります。

アメリカにも中小企業は多くありますが、日本との大きな違いはそこに尊敬の念があるかどうかです。時価総額を見てもわかるように、アメリカのトップ企業は、ほぼほぼベンチャーです。アップル、グーグル、マイクロソフトなど。そうした企業に対する敬意が、これからすばらしいベンチャー企業が出るかもしれないという期待につながっています。

それが日本だと「ベンチャーでしょ」という意識を持つ方がいまだに多い。現在の大企業の時価総額を二十年後に、今はスタートアップと呼ばれる企業が抜いている可能性もあります。こうしたことを本気で考えないといけない時代になったことを、常に意識してビジネスに取り組まねばなりません。

※1　PoC

Proof of Conceptの略。日本語では「概念実証、実証実験」と訳される。新しい概念や理論・原理・アイデアの実証を目的として、試作開発の前段階における検証やデモンストレーションを行うこと。

※2　マイルストーン

物事の進捗を把握するために途中で設ける節目のこと。鉄道や道路などにおける起点からの距離をマイルで表した標識から派生した。

※3　東京海上日動火災保険

一九四四年に設立。東京都千代田区に拠点を置く、東京海上ホールディングス傘下の損害保険会社。前身である東京海上保険は日本最初の保険会社として知られる。二〇二一年現在に至るまで、長らく日本の損害保険業界のトップとしてけん引し続ける。

おわりに

日本の希望

潜在能力の高い国

本書を通じて様々なスペシャリストの方にお話を伺うことができました。その中では日本は遅れているという話が多かったと思います。ただ一方で、全員に共通している話もあったことがおわかりいただけたでしょうか。それは日本にはまだまだ希望があるということです。これは私もまったく同じ考えです。

日本は元々技術力が高い国です。社会も個人もポテンシャルは極めて高い。しかしアマゾンが一社で三兆円以上もの研究開発費をかけていることを考えると、スケールで見れば十倍以上も負けています。これでは、せっかくの能力を活かし切れません。金も人もかけて研究開発し、本気で勝ちにいこうと腹をくくる日が来たのではないでしょうか。二〇二一年の施政方針演説では、今後五年の研究開発費を官民合わせて百二十兆円にするという目標も打ち出されました。

二〇一八年に東大の五神(ごのかみ)総長がシリコンバレーに来て、これからいかにテクノロジーが主流になるかという話を聞いたところ、彼の中で意識が変わって大学の体制も見直されたという話があります。

その結果、東大とソフトバンクが「Ｂｅｙｏｎｄ　ＡＩ研究推進機構」で提携して資金が集まったり、スタンフォードの教授を同待遇で東大に招き、マーケットデザインセンターという研究を社会に実装する研究所やコンサルティング会社ができたり、といったことが起こりました。産学連携で大学の知見を社会に還元していこうという動きが活発化してきたのです。これまで待遇が格段に良いという理由からアメリカで活躍していた研究者が、日本の待遇も欧米並みになりつつあるので帰国するという動きも出てきています。さらに、研究の知見を起業に活かすため、創業期を支援する東大、京大など大学発のベンチャーファンドも増えてきています。古いといわれてきた日本の大学も変わろうと思えば変われるのです。これは日本企業にとって大きなメッセージではないでしょうか。

アメリカと中国の緊張関係は、おそらく二〇二〇年代の大きなテーマです。先の大統領選ではバイデン氏が当選し、この結果がどちらに転ぶのかはまだわからない部分もあります。ただ、日本にとっては海外から人材を呼び込むチャンスだといえます。世界の知見を日本に集めて研究し、テクノロジーを開発・実装していけば、日本にはまだまだ勝てるチャンスがあるはずです。

必要な危機意識

この好機を活かすには、意識の改革が絶対条件です。あらゆる領域で毎日のように革新的なことが起きています。そして、それが総合的に絡み合っているのです。小売業だったらリテールテックだけを見ていればいいという時代ではなくなりました。リテールテックは積極的に取り入れるとしても、ものを買うという行為自体がサブスクリプションに移行しつつあります。何がどのようにして、どこに波及するかを常に予測しながら、新たなビジネスモデルを構築しなければなりません。

自社は○○業だから、これさえ見ていればいいという単純明快な世界ではなくなったのです。貪欲に様々な分野の情報を収集することが求められます。それなのに日本語に翻訳されている情報はごくわずか。海外の英語の情報を取りに行く、できるならメディアに掲載される前の段階で手に入れるという姿勢が大事になります。

メディアに載っている情報は、すでにかなり普及している情報であるということを知っておかなければいけません。その前の段階で、エンジニアや研究者、ＶＣなどから直接聞くことが勝つための秘訣です。だからこそ世界の最先端を走るシリコンバレーの話を本書では多く取り上げました。ここで人脈を築くことはビジネスの成功に結びつきます。

デジタル時代も重要なことは変わらない

そして、洞察力を持つ人とのつながりは何よりも大切なことです。ネットに出ているようなニュースを見ていても、人それぞれで解釈が違います。その中で切れ味がいい考え、応用が利き、当たる可能性が高い洞察力を持っている人の考えを共有することができれば、何よりの武器となるでしょう。

本書では私が自信を持って鋭い洞察力を持つといえる方々から、お話をいただきました。ただ切れ味のいい洞察力を持っている人とリアルでつながるのはなかなか難しいことです。得るものと与えるもののバランスが取れる能力が求められますし、初対面でお互いに「なるほど、こんな考え方・見方があるのか」と思わせないと、それでつながりが切れてしまうことがほとんどです。

洞察力を得るためにはどうすればいいのか。私は仮説を持って考えることだと思います。自分なりの仮説を持って、その仮説を検証するために様々な情報やデータを集め、常に仮説を修正し続ける。その積み重ねをしていくことが重要です。

一〇〇％正しい仮説などありません。ただその中で自分なりの考えを持つためには、大小様々なニュースを知っておかなければなりません。時には現場に足を運んで、自分の目で確かめることも必要でしょう。

これは正解のない世界で生きていくためには必須ともいえる考え方ですが、日本人はこの思考をするのが苦手なようです。大学受験のように正解があって点数がつけられる世界では、日本人の強さが認められています。昔のアメリカに追いつけ追い越せの時代は、これでもよかった。しかし今は、アメリカ人が正解ではありません。彼らにもどうすればいいかわからないことがたくさんある時代です。

今は十年ごとに「本業」が変わってもおかしくない。アップルは、マックブックからｉＰｈｏｎｅに変わって、今は音楽ストリーミングをやり、アップルウォッチをベースに保険ビジネスまで始めようとしています。

過去の延長線上に未来はないということをまず認識することです。過去の十年から推測できる未来は、今となってはあり得ない。クルマの運転になぞらえれば、バックミラーばかり見ていては先に進めません。前を見なければ運転できないのです。

そのときにフロントガラス越しに何が見えているでしょうか。様々なものを見ることが大切で、フロントガラスが狭かったり、曇っていたりすれば事故を起こす可能性が高まります。視野が狭くなっていれば、経営に失敗する確率が高くなるわけです。

未来を担う人々へ

菅政権の誕生とともに「デジタル庁」の創設が発表され、担当大臣が設置されました。このような官庁を作ることは、歓迎すべき取り組みだと思います。

実務を担うリーダーについては、テクノロジーの実態をしっかりと把握している人を選ぶことが必要です。さらにテクノロジーは国境を越えるものなので、最低限英語ができる人であることも必須です。テクノロジーがわかり英語もできる人材が政界にいないのであれば民間から採用して、政治家が最大限にバックアップしてほしいと考えます。

世界を見ると三十代の女性首相が現実に存在するわけで、そのような国々と比べると日本は遅れています。他国から先がないと思われる理由につながります。いずれにしても日本は独自の文化があるので特殊だ、という言い訳はいつまでも通じません。海外が多種多様な面で変化しつつある今、その良いところを日本なりに取り入れて、日本と他国の良いところを折衷するハイブリッド型で挑んでいかなければならないのです。

若いリーダーが次々登場することに期待しています。一方で私はシニアの方々の力が必要である事態も多くあると感じています。ライフネット生命での出口治明氏と岩瀬大輔氏に見られたような還暦のベテランと三十代の若手がタッグを組み起業する「還暦ベンチャー」が多く出てきました。日本ならではのやり方かもしれません。

デジタルやビジネスを担う若い人にどんどん出てきてほしいというのが、本書を書いた動機です。ただシニアの方々にも、次の世界をけん引する若者を導いてほしい。ベンチャービジネスといえば、二十代から三十代の若い人が始めるイメージがありますが、規制が厳しい業種や経験がものをいう世界では若い人だけでは難しいのです。ならば若い人とシニアが組んで一緒にやりましょうかという話になってきます。ここにもチャンスが生まれます。

私は日本の政治も同じように、三十代の熱意と勢いのある首相を、七十代の老練な副総理が支えるといったコンビネーションがあってもよいと思っています。ビジネスも政治も、その際に大事なのはシニアの側の器ではないでしょうか。一方で若い人も、シニアは考えが古いという考え方を捨てて手を取り合う必要があります。

若い人はこの一冊を新しいビジネスを始めるきっかけとして、もしくは、社内を変えるための説得材料として活用してください。そしてシニアの方々も本書を通して会社を変革しようという考えを持ってください。一つでも多くの方にこれを実践していただければ、それ以上の喜びはありません。

コロナ禍という変革のチャンスが訪れた今を逃す手はありません。多くの方からの協力を得て、世界の変革と必要なことを述べてきました。刻々と世界は変化しますが、それでもまずはこの二十年間を見据えて、本書を活かしていただきたい。若い方もシニアの方も、これまでの固定観念を捨てて、新しい形でビジネスに取り組めるようになれば、日本の未来は明るいはずです。

〈著者紹介〉
山本康正(やまもと やすまさ) 1981年、大阪府生まれ。東京大学大学院で修士号取得後、米ニューヨークの金融機関に就職。ハーバード大学大学院で理学修士号を取得。修士課程修了後に米グーグルに入社。2018年よりDNX Venturesインダストリーパートナー。ハーバード大学客員研究員、京都大学大学院総合生存学館特任准教授。著書に『シリコンバレーのVC=ベンチャーキャピタリストは何を見ているのか』(東洋経済新報社)、『次のテクノロジーで世界はどう変わるのか』(講談社現代新書)、『2025年を制覇する破壊的企業』(SB新書)ほか。

シリコンバレーの一流投資家が教える
世界標準のテクノロジー教養
2021年2月25日　第1刷発行
2021年3月20日　第2刷発行

著　者　山本康正
発行人　見城 徹
編集人　森下康樹
編集者　武田勇美

発行所　株式会社 幻冬舎
〒151-0051 東京都渋谷区千駄ヶ谷4-9-7

電話:03(5411)6211(編集)
03(5411)6222(営業)
振替:00120-8-767643
印刷・製本所:図書印刷株式会社

検印廃止

ISBN978-4-344-03739-7 C0095
幻冬舎ホームページアドレス　https://www.gentosha.co.jp/

この本に関するご意見・ご感想をメールでお寄せいただく場合は、
comment@gentosha.co.jpまで。